AF587578

Niños de domingo | 28

Ingmar Bergman

Niños de domingo

TRADUCCIÓN DE MARINA TORRES

ILUSTRACIONES DE CUBIERTA
DE MANUEL MARSOL

FULGENCIO PIMENTEL
La principal

Recuerdo que mi abuela materna y el tío Carl eran sumamente críticos respecto a nuestra casa de campo, aunque cada uno por razones diferentes. Si bien es cierto que se lo consideraba algo chalado, el tío Carl lo sabía casi todo de muchas cosas; y el tío Carl decía que aquella no era una casa, ni siquiera un chalé, y en modo alguno era una vivienda. Podría tal vez describirse el fenómeno como una serie de cajones de madera pintados de rojo y puestos al lado y encima unos de otros, un poco como la Ópera de Estocolmo, opinaba tío Carl.

En resumidas cuentas: unos cuantos cajones de madera de color rojo con esquinas y molduras pintadas de blanco y colocadas arbitrariamente un poco por aquí y por allá. Las ventanas del piso bajo eran altas y ajustaban mal, mientras que las del piso de arriba eran cuadradas, parecidas a las de los trenes, y, si ajustaban, no podían en cambio abrirse. El tejado estaba cubierto de cartón embreado, desgastado y parcheado. Cuando llovía a chaparrones el agua descendía por la pared a la galería de arriba y a la habitación de mamá. El floreado papel de la pared estaba despegado y abombado. Todo el montón de cajones descansaba sobre doce altas piedras. Entre la base y el irregular terreno había pues un espacio de aproximadamente setenta centímetros de altura. Allí se acumulaban madera vieja, sillas de mimbre rotas, tres cacerolas oxidadas de aspecto inusual, unos cuantos sacos de cemento, neumáticos de coche gastados, una tina de latón con utensilios domésticos estropeados, varios montones de periódicos atados con alambre. Siempre podía encontrarse allí algo útil. Lo cierto es que estaba prohibido arrastrarse por debajo de la casa; mamá tal vez creía que íbamos a hacernos daño con los clavos oxidados o que la casa podría desplomarse súbitamente sobre nosotros.

Fue un pastor pentecostal de Borlänge quien construyó la vivienda o como quiera llamársela. Se llamaba Frithiof Dahlberg y posiblemente quería estar cerca de su Dios y Señor. Por eso buscó un lugar bien elevado en lo alto del pueblo de Dufnäs.

Compró una parcela saliente debajo de la cumbre y allanó el terreno. El pastor Dahlberg estaba convencido, con toda probabilidad, de que el Señor apreciaría el valor de su empresa y les daría a él y a sus hijos los conocimientos que les faltaban en el arte de la construcción. A la espera de la inspiración adecuada, se pusieron manos a la obra. Tras cinco años de fracasos, la creación del pastor se terminó en junio de 1902. Los feligreses admiraron la obra y encontraron cierto parecido entre la construcción de Dahlberg y el Arca de Noé. Noé tampoco era maestro de obras, sino, a decir verdad, un barquero del Éufrates bonachón y un poco alcohólico. Pero el Señor le había insuflado conocimientos y construyó un barco espacioso que habría de soportar penalidades bastante más arduas que la modesta vivienda del pastor Dahlberg.

Algunos de los devotos consideraban que la terraza de arriba, orientada al sur y con vistas sobre el valle, los ríos y los prados, era un lugar muy adecuado para esperar el juicio final, cuando los ángeles del apocalipsis lleguen volando sobre las colinas de Gagnbro y Bäsna.

Justo debajo del edificio principal el infatigable pastor había levantado una barraca de extraño aspecto. Consistía en siete celdas unidas bajo un techo común. A cada celda se accedía por una puerta verde, exterior y mal ajustada. Es de suponer que aquellas habitaciones fueran utilizadas alguna vez por huéspedes que deseaban quedarse varios días o semanas, tal vez para fortalecerse por medio de oraciones y cánticos en común en su ya inquebrantable fe. Por falta de mantenimiento, la barraca fue abandonándose y se había ido convirtiendo en un refugio de la flora y de la fauna. La hierba crecía lozana a través de los pisos y un abedul se había metido por una ventana. Einar, el tejón que había adoptado a la familia, tenía sus dominios en el extremo de la izquierda; los ratones del bosque, en el resto. Durante una temporada, un búho se había anexionado el cuarto del abedul, pero, desgraciadamente, acabó yéndose. Una gata amarilla medio salvaje con cara de mala se había aposentado con sus seis cachorros en la celda más espaciosa. Mamá era la única que se atrevía a acercarse a la maligna criatura. Tenía una mano especial con las plantas y con los animales, defendía nuestra casa de fieras contra todas las maquinaciones que tramaban Maj y Lalla, que dormían en las dos alcobas del medio. Lalla era nuestra jefa de cocina y Maj, la chica para todo. Ya hablaremos de esto más adelante.

Esta colección de edificios se completaba con un retrete descomunal, aunque ruinoso, que levantaba sus paredes sin pintar al borde mismo del bosque. En el retrete había sitio para cuatro cagadores; a través de una abertura sin cristal practicada en la puerta se tenía una vista espléndida de Dufnäs, de un trozo de curva del río y del puente del ferrocarril. Los agujeros eran de diferentes tamaños: uno, grande; otro, mediano; el tercero, más pequeño, y el cuarto, pequeñito, pequeñito. En la parte inferior de la pared de atrás había una ventanilla desvencijada, que no se podía cerrar. Cuando Maj y Linnea visitaban el reducto para charlar un ratito y echar una meada presurosa, mi hermano y yo acometíamos nuestros primeros estudios de anatomía femenina. Mirábamos y nos asombrábamos. Nadie se preocupaba de descubrirnos. Nunca se nos ocurrió estudiar desde abajo a nuestro padre o a nuestra madre ni a la abrumadora tía Emma. También las alcobas infantiles tienen su tabúes tácitos.

El mobiliario de la casa grande era heterogéneo. El primer verano mamá cargó un vagón de ferrocarril con muebles sobrantes de la casa rectoral de la ciudad. La abuela aportó trastos de la buhardilla y el sótano de Våroms. Mamá cavilaba y planificaba; hizo cortinas, tejió una alfombra, domesticó la estrafalaria acumulación de elementos disparatados y hostiles entre sí y logró combinarlos. Las habitaciones, tal como las recuerdo, eran muy acogedoras. En realidad, nos sentíamos mejor en la pintoresca creación del pastor Dahlberg que en Våroms, la elegante y exquisita residencia que mi abuela tenía a un cuarto de hora de paseo por el bosque.

He dicho al principio que el tío Carl era bastante crítico respecto a «esta guarida que no es una casa». La abuela también era crítica, pero por otras razones. Ella consideraba la evasión de mamá y el alquiler de la creación dahlbergiana como una rebelión pacífica pero notoria. La abuela estaba acostumbrada a tener a los hijos y a los nietos con ella durante los meses de verano. Por esta razón toleraba a los yernos y a las nueras. Ese verano estaba sola en Våroms con tío Carl, que, por diversas causas —sobre todo de índole financiera—, no tenía ninguna posibilidad de rebelarse. Tío Nils, tío Folke y tío Ernst se habían ido con sus respectivas familias a balnearios extranjeros. Así que la abuela estaba sola con el tío Carl y con Siri y Alma, dos viejas sirvientas que evitaban dirigirse la palabra a pesar de haber trabajado juntas más de treinta años. Lalla también pertenecía al

Estado Mayor de la abuela, pero un día alegó de repente que mamá necesitaba toda la ayuda que pudieran darle. Así que a principios de junio se trasladó a casa de mamá y allí, en condiciones primitivas, nos preparaba albóndigas magistrales y soberbios lucios al horno. Lalla había visto crecer a mi madre y su lealtad era inquebrantable pero aterradora. Mamá, de hecho, no le tenía miedo a nadie, pero algunos días no se atrevía a ir a la cocina a preguntarle a Lalla qué iba a preparar de cena.

La explanada del patio era circular, de gravilla; en el centro había un pedacito de césped, también circular, con un reloj de sol hecho añicos por el óxido. En la parte exterior de la cocina, crecía una hermosa plantación de ruibarbos, rodeada por una pradera un poco salvaje, jamás segada, que se extendía un centenar de metros hasta la linde del bosque y la cerca derruida. El bosque era espeso y estaba muy descuidado. Se encaramaba por la escarpada pendiente hacia el pico de Dufnäs, donde se abría un enorme precipicio que resonaba los días de tormenta. En la montaña, que era gris y rosa, había una profunda cueva a la que se podía llegar después de una peligrosa escalada. Teníamos prohibido ir a la cueva y por eso era atractiva. Un riachuelo somero y pedregoso serpenteaba en torno a la montaña y por delante de nuestra cerca para desaparecer un poco más abajo, en los sembrados, y desembocar en el río al norte de la ciudad de Solbacken. En verano estaba casi seco, en primavera bajaba caudaloso y en invierno murmuraba negro e inquieto bajo finas membranas del más gris de los hielos, mientras que las lluvias de otoño lo hacían bramar con un tono alto y cambiante. El agua era clara y fría. En los meandros se formaban pozas y allí había carpas, una especie de albures, muy buenas como cebo para pescar a sedal en el río o en el lago Svartsjön. En la cuesta de la bodega, en cuyo techo crecían fresas silvestres, languidecía un añoso huerto de árboles frutales que todavía daban cerezas y manzanas. Un sendero muy pendiente llevaba por el bosque a casa de los Berglund, que eran los dueños de la finca más grande de Dufnäs. Allí comprábamos leche, huevos, carne y otros comestibles.

El estrecho valle, las crestas de la montaña cortadas a pico, el bosque, el caudaloso arroyo, los desiguales sembrados y el río profundamente hundido en la garganta, tenebroso y falso, los páramos, las lomas, todo formaba un paisaje poco apacible, dramático e inquietante. La naturaleza no era benevolente ni especialmente generosa. Sí: daba fresas silvestres, convalarias, artemisas, flores silvestres, dones del verano, pero sin prodigarse, con circunspección. Espinosas cascadas de frambuesos, una cuesta cubierta de gigantescos helechos de olor acre, altos conjuntos de ortigas, árboles secos, raíces al aire, roquedales arrojados por gigantes en tiempos primitivos, setas venenosas sin nombre pero con propiedades terroríficas. Durante nueve veranos vivimos y habitamos en la vivienda del pastor Dahlberg aferrada al despeñadero, pegada al bosque que empezaba a invadir la pradera y la pequeña alfombra de césped. Si la tormenta venía del sureste y soplaba el viento de los dilatados páramos al otro lado del río, crujían los cajones de madera, agrupados y pasablemente pintados de rojo. Las ventanas mal ajustadas aullaban y gemían y las cortinas se agitaban con tristeza. Alguna persona amante de los niños me había metido en la cabeza que, cuando se desatara una buena tormenta, la casa entera de Dahlberg despegaría y se iría flotando hacia las altas rocas. La casa entera de Dahlberg, con la familia Bergman, los ratones del bosque y las hormigas incluidas. Solo se salvarían los que se encontraran en la barraca con el tejón Einar y Lalla y Märta y Maj. Yo no llegué a creérmelo del todo, pero cuando la tormenta y el viento arreciaban, me metía de buena gana en la cama de Maj y le decía que me leyera revistas como *Allt för Alla* y *Allers Familjejournal.*

Ya por entonces tenía yo problemas con la realidad. Los límites eran confusos y venían dictados por adultos extraños. Yo veía y oía: eso es peligroso, eso no es peligroso. No hay fantasmas, no seas bobo, no hay espectros, ni demonios, ni cadáveres que abran sus bocas ensangrentadas a pleno sol, no hay duendes ni brujas. Pero abajo en el pueblo, en casa de Anders-Per, hay una vieja horrible encerrada en un cobertizo que tiene las ventanas condenadas con clavos. A veces, cuando en las noches de luna llena todo estaba en silencio, podían oírse sus aullidos en todo el pueblo. Si no había fantasmas, ¿por qué hablaba Maj del relojero de Borlänge, que se ahorcó en la cuesta del bosque, en el camino que llevaba a casa de los Berglund? ¿O de la muchacha que se ahogó un invierno en el Gimmen y apareció flotando, cercana ya la primavera, junto al puente del ferrocarril con todo el vientre lleno de anguilas? Yo mismo vi el cadáver cuando lo traían cubierto con un abrigo negro y una bota de invierno calzada en un pie, mientras en el otro se le veía la tibia. Y luego se me aparecía, yo la veía en sueños y a veces sin sueños ni oscuridad. ¿Por qué dice la gente que no hay fantasmas, por qué se ríen y mueven la cabeza, no Pu, puedes estar tranquilo, que no hay fantasmas?, ¿por qué dicen eso cuando luego disfrutan hablando de cosas que son realmente horrorosas para una persona con espacios demasiado poblados tras los párpados?

Pero ahora toca hablar —muy brevemente— del Conflicto. Por esta época, es decir, en el verano de 1926, había durado exactamente dieciséis años. Todo comenzó con la incorporación del estudiante de teología Erik Bergman a la familia Åkerblom en calidad de futuro esposo de la muy custodiada hija de la casa. A doña Anna no le gustaba la relación y aplicó su considerable fuerza de voluntad en tomar medidas determinantes. Pensándolo bien, el futuro pastor podría ser el yerno soñado para una suegra: ambicioso, bien educado, correcto y relativamente apuesto. Contaba, además, con un futuro más que aceptable como funcionario del Estado. Doña Anna, sin embargo, tenía ojo para las personas. Vio algo más, bajo tan irreprochable superficie: arbitrariedad, susceptibilidad, mal genio, frialdad repentina en los sentimientos. Doña Anna consideraba también que conocía bien a su hija, el luminoso y un poco mimado personaje central de la casa. Karin era una muchacha de fuertes sentimientos, alegre, lista, extraordinariamente sensible y, como ya se ha dicho, bastante mimada. Doña Anna afirmaba que su hija necesitaba un hombre hecho y derecho, un talento seguro de sí mismo, una mano firme pero solícita. Ese joven existía ya en el círculo familiar: el profesor de Historia de la Religión Torsten Bohlin. Todos estaban de acuerdo en que Torsten y Karin formaban una pareja ideal y los padres esperaban confiados la declaración de los jóvenes. Para acabar, Erik Bergman y Karin Åkerblom eran primos segundos, cosa que se consideraba una combinación arriesgada. Por la parte bergmaniana se ocultaba, además, una enfermedad hereditaria, difícil de definir, que afectaba de manera caprichosa y terrible a algunos miembros de la familia: un encogimiento muscular que se iba acelerando gradualmente y que desembocaba en invalidez total y en una muerte prematura.

Anna Åkerblom consideraba, por tanto, que Erik Bergman era un esposo claramente inapropiado para su hija.

Lo mismo opinaba Johan Åkerblom, pero por otras razones. Él era ya un hombre viejo y enfermo que adoraba a su única hija con un amor rendido y profundo. Todo pretendiente, posible o imposible, resultaba una abominación. El anciano quería conservar a la luz de sus ojos cuanto más tiempo, mejor. Karin correspondía al amor de su padre con una ternura cariñosa, aunque algo distraída.

Cuando la fuerte relación afectiva entre los dos jóvenes se hizo evidente, doña Anna tomó medidas enérgicas, más o menos calculadas. El interesado puede estudiar este asunto en un detallado documento llamado *La buena voluntad.*

Erik Bergman se sintió, con razón, rechazado y maltratado. Sobrevinieron serias disputas entre él y su futura suegra. Martín Lutero ha dicho en algún lugar que hay que tener cuidado con las formulaciones «porque a la palabra que vuela no se la puede agarrar del ala». Hasta donde puedo alcanzar, se intercambiaron muchas palabras de esas durante los primeros años. Erik Bergman tenía la epidermis fina y era desconfiado, además de rencoroso. Jamás olvidaba ni perdonaba un agravio, real o imaginario.

Karin Åkerblom era en muchos aspectos digna hija de su madre. Su fuerza de voluntad era indiscutible. Lo había decidido: tenía que vivir su vida con Erik Bergman. Así que se salió con la suya y el joven aspirante a pastor fue finalmente aceptado, aunque de mala gana.

Al formalizarse el compromiso, se enterraron todos los signos externos del conflicto. El tono se hizo amablemente indulgente, cortésmente atento, a ratos hasta cordial, cada uno interpretaba su papel. Nada podía poner en juego la unión de la familia.

El odio y la amargura permanecían, invisibles, por dentro. Se descubrían en frases incidentales o en silencios súbitos, en actos imperceptibles y en sonrisas heladas o forzadas. Todo ello extremadamente sofisticado y conforme a las severas leyes de la tolerancia cristiana.

Una de las complicaciones encubiertas eran los veranos. ¿Cómo organizar el verano? ¿Dónde iban a pasar el pastor y su familia las vacaciones? Mamá había pasado los veranos de su niñez y de su juventud en la casa que sus padres poseían en el corazón de Dalecarlia. Para Karin resultaba natural que a su amado le gustaran Våroms, Dufnäs y Dalecarlia como le gustaban a ella. Erik Bergman callaba y se sometía porque quería darle gusto a su joven esposa. Luego llegaron los hijos y estos disfrutaban en casa de la abuela. El mutismo y la cortesía, los silencios y las frases incidentales se fueron haciendo cada vez más evidentes mientras se cimentaba el idilio.

Con el tiempo, posiblemente demasiado tarde, Karin Bergman comprendió que las cosas se precipitaban hacia la catástrofe. Un verano, con el pretexto de sustituir a un colega enfermo, su marido no se presentó. Otro verano, la estancia de Erik Bergman fue muy breve, de solo un par de semanas; el resto del tiempo lo dedicó a hacer excursiones a pie con algunos amigos. Otro verano se puso enfermo de repente y tuvo que pasar las vacaciones bajo la tierna vigilancia de Anna von Sydow, la incalculablemente rica bienhechora de la familia, en su elegante finca de Mösseberg.

Así que mamá comprendió, aunque tarde, que había que hacer algo. Alquilar la creación dahlbergiana fue, pues, por un lado, una solución de compromiso y, por otro, una forma de pedir perdón en silencio. La casa estaba, como se ha dicho, a poca distancia de Våroms. La familia Bergman seguiría siendo una familia también durante las vacaciones de papá. Que las comidas dominicales se celebraran en Våroms y que la abuela se presentara de improviso en la sencilla casa de verano de la familia Bergman, eran incomodidades inevitables.

Mamá llevó a cabo el pesado traslado con humor. Tuvo la inesperada ayuda de Lalla, que dejó su cómoda habitación de siempre tras la cocina de Våroms para instalarse en la destartalada barraca de nuestra casa. Mamá era su niña mimada y debía contar con toda la ayuda que necesitara. Era algo evidente, pero a la abuela le causó casi tanta impresión como la partida de su hija.

Mamá no consiguió mucho reconocimiento por su hazaña. Cuando papá llegó al cabo del tiempo, justo antes de que yo cumpliera ocho años, se mostraba inquieto, ausente y melancólico.

La estación de ferrocarril de Dufnäs se reduce a una casa roja con esquinas blancas, un retrete en el que cuelga el cartel de Hombres y Mujeres, dos semáforos, dos vías muertas, un depósito de mercancías, un andén empedrado y una bodega. Ericsson, el jefe de estación, vive desde hace veinte años en el piso superior del edificio, junto con su esposa, que sufre de bocio. Al pequeño Pu, que acaba de cumplir ocho años, su madre y su abuela le han dado permiso para que pueda visitar la estación. El señor Ericsson no ha sido consultado, pero trata a su joven visitante con distraída amabilidad. La oficina huele intensamente a tabaco de pipa y a suelo de corcho mohoso. Moscas soñolientas zumban en las ventanas, de vez en cuando suena el telégrafo y emite una estrecha cinta de papel con puntos y rayas. El señor Ericsson está inclinado sobre la gran mesa de trabajo y escribe en un libro alargado de pastas negras. Luego clasifica las cartas de portes. A veces llama alguien por la ventanilla de la sala de espera para comprar un billete a Repbäcken, Insjön, Larsboda o Gustavs. Reina la misma calma que en la eternidad y seguramente igual de digna.

Pu entra sin anunciarse. Es pequeño, muy delgado, se tambalea de puro esquelético, con el pelo cortísimo, casi al cero, y algunas costras en la rodilla derecha. Como esto ocurre la tarde de un sábado de finales de julio, Pu va calzado con unas gastadas sandalias y viste una camisa lavada y relavada a la que han recortado las mangas y unos pantalones cortos de los que asoma un pedazo de los calzoncillos bajo la pernera; los sujeta un cinturón de explorador, del que cuelga una navaja. Puede ser difícil adivinar lo que piensa Pu. Su mirada es algo soñolienta, las mejillas infantilmente redondas. Y la boca entreabierta, seguramente por los pólipos.

Saluda con educación: buenas tardes, señor Ericsson. El señor Ericsson mira su libro negro, levanta la vista un momento, la pipa crepita y exhala una pequeña nube: buenas tardes, joven Bergman.

Pu trepa a uno de los altos taburetes de tres patas que hay junto al telégrafo.

—Papá llega en el tren de las cuatro.

—Ah, ¿sí?

—Estoy esperándolo. Mamá y Maj vendrán más tarde. Parece que Maj tiene que recoger algo facturado.

—Ah.

—Papá ha estado en Estocolmo predicando ante el rey y la reina.

—Mira qué bien.

—Después lo invitaron a cenar.

—¿El rey?

—Sí, el rey. Papá es amigo del rey y de la reina desde hace tiempo. Sobre todo de la reina. Le da buenos consejos y eso.

—Eso está muy bien.

—Seguramente el rey y la reina no podrían arreglárselas sin mi padre.

Se hace una larga pausa para pensar. El señor Ericsson enciende su languideciente pipa. Una mosca zumba moribunda en el rayo de sol de la ventana. El gordo gato atigrado se endereza y estira las patas delanteras, ronroneando. Da unos pasos vacilantes sobre la abarrotada mesa de la ventana y se tumba encima del *Sveriges*

Kommunikationer. Pu entrecierra los ojos. La luz del sol arde, blanca e inmóvil, sobre los raíles y los altos abedules. En la vía muerta más alejada duerme una pequeña locomotora de maniobras enganchada a unos cuantos vagones de madera.

—Yo creo que la reina está enamorada de mi padre.

—Ah, ¿sí? Hay que ver qué cosas.

El señor Ericsson no parece muy impresionado, además está enfrascado en sus cartas de porte, no le sale la cuenta, las repasa una y otra vez y las pone en dos montones: quince, dieciséis, diecisiete, dieciocho. Alguien llama a la ventanilla de la sala de espera. El señor Ericsson deja la pipa en el pesado cenicero y se levanta, abre la ventanilla de cristal y dice buenas tardes, buenas tardes. ¡Vaya! ¿Nada menos que hasta Rättvik? ¡Vaya, vaya! ¿Y a Orsa mañana? Bueno, bueno. Pues son dos setenta y cinco. Aquí tiene, gracias.

Mamá, Maj y mi hermano Dag se acercan paseando despacio por la explanada de arena, blanca de sol. Mamá lleva un vestido de verano de color claro con un ancho cinturón en su fina cintura. El sombrero es amarillo y de ala ancha. Está guapa, como siempre, en realidad mamá es la más hermosa de todas las personas imaginables, más hermosa que la Virgen María y que Lilian Gish. Maj va con un vestido bastante corto y desteñido de cuadros azules. Lleva medias negras y altas botas negras, llenas de polvo. Dag, que es cuatro años mayor que su hermano, va vestido más o menos como Pu, con la diferencia de que no se le ven los calzoncillos por encima de las rodillas. Mamá parece un poco irritada y le dice algo a Dag, frunce la frente y sonríe al mismo tiempo. Dag sacude la cabeza y mira a su alrededor, ve a Pu detrás de la ventana y lo señala. Ah, estabas ahí, claro, dice mamá un poco enfadada, pero es como en el cine, hay que adivinar lo que dicen las personas. Ella le hace un gesto para que vaya enseguida. Adiós, señor Ericsson.

En ese mismo instante suenan dos cortas señales en el teléfono de la pared. El jefe de estación agarra el auricular y dice: diga, aquí Dufnäs. Alguien habla por el auricular: salida de Lännheden, tres cincuenta y dos. El señor Ericsson se pone la chaqueta del uniforme y el gorro con la escarapela roja, toma la bandera del estante pintado de azul que hay junto a la puerta y sale a las escaleras de la estación, con Pu pegado a sus talones. Avanzan hasta el semáforo, que enseguida alza su brazo de rayas rojas y blancas, ahora ya puede venir el tren. El señor Ericsson se cuadra ante mamá y Maj, luego se acerca a un hombre con un coche y un caballo. Hablan un poco, señalando el depósito de mercancías.

Pu sigue al pie del semáforo, vigilándolo. Mamá lo llama, pero como él no la oye o finge no oírla, mueve la cabeza y se vuelve hacia Maj.

La intensa luz del sol arde sobre el edificio de la estación, los raíles, el andén. Huele a brea y a hierro recalentado. A lo lejos, junto al puente, se oye el murmullo del río, el calor vibra sobre los durmientes manchados de grasa, las piedras disparan relámpagos. Silencio y espera. El lustroso gato se ha tumbado en la vagoneta. De la pequeña locomotora estacionada en el apartadero más alejado llega un jadeo de discretos suspiros. Oscar, el maquinista, está encendiendo la caldera. De repente surge el tren por la curva del Långsjön, como un borrón negro primero, en el espeso verdor, casi silencioso, pero después con estruendo creciente, en el puente, con su potente locomotora compuesta y sus ocho vagones; las agujas restallan, el estruendo se acentúa y el corazón de Pu se estremece.

La locomotora crepita y resuella, expulsando vapor de los émbolos, el suelo tiembla, ya llegan los vagones, los largos y elegantes vagones de Estocolmo, los frenos chirrían. El señor Ericsson saluda al maquinista cuadrándose. Pu está como petrificado. El jefe de estación agita la bandera roja. Chirridos, crujidos, todo se ha detenido y permanece inmóvil de una manera inexplicable mientras la locomotora resopla y resopla. Ven, Pu, dice mamá. Cuando mamá pone esa voz es mejor obedecer.

Papá baja al andén, está aún bastante lejos pero se acerca a grandes zancadas. No lleva sombrero y el fino cabello flota un poco. Trae el abrigo en el brazo y el sombrero en la mano derecha, en la izquierda lleva su vieja cartera negra a punto de reventar con libros y sus cosas de noche. Papá aborrece viajar con equipaje, prefiere llevar poco. Mamá y papá se besan en la mejilla, el sombrero amarillo de mamá se descoloca, se sonríen, luego le toca a Dag saludar y estrecha la mano de su padre, papá le palmea la nuca, un poco fuerte y no muy cariñosamente, al parecer. Pu toma impulso, se ríe feliz y corre hacia su padre, que se echa a reír, agarra a su hijo y lo levanta en brazos. Mamá se ha hecho cargo del abrigo y del sombrero y Maj, con una discreta reverencia, ha liberado al pastor de su abultada cartera. Papá huele a loción de afeitar y a cigarrillos, su mejilla es un poco rasposa. Dame un beso, dice papá, y Pu le da un húmedo y ruidoso beso en la oreja.

El señor Ericsson da la señal de salida. La locomotora despide borbotones de nubes negras y rítmicas, las ruedas patinan y después se agarran a los raíles, puertas y verjas se cierran de golpe. Se baja la barrera, el tren se aleja cada vez más rápido hacia el viaducto de la carretera. En la curva que pasa por debajo de Våroms la locomotora lanza un pitido y desaparece en el bosque.

—¿Tenemos que volver a casa ahora mismo? —pregunta Dag volviéndose un poco inseguro hacia la autoridad paterna reunida.

—No, no —dice mamá, y sonríe con premura porque se da cuenta de que la pregunta de Dag es inoportuna en ese preciso momento—. No, no. Pero tenéis que volver un rato antes de cenar.

—Tienes reloj, ¿no? —dice papá con bastante sequedad.

—Está estropeado, pero ya preguntaré —dice Dag.

La herrería no está a más de un centenar de metros al norte de la estación. Es una casa de madera de dos pisos, alta pero estrecha, mal construida, pintada de rojo. En la planta baja está la herrería y en la segunda, que consta de dos habitaciones y una espaciosa cocina, viven el herrero y su esposa Helga con sus cinco hijos de diferentes edades y hechuras. Jonte es de la edad de Pu, y Matsen, de la de Dag. Todo es suciedad, miseria y pobreza en torno al herrero y su familia, pero el humor, por lo que recuerdo, era inmejorable. Por eso nos gustaba ir a jugar cerca de la herrería. El aspecto del herrero es el de un jefe kirguís, un hombre alto de tez oscura; su esposa es también alta y conserva restos de su antigua belleza. No tiene muchos dientes, pero siempre está riéndose. Cuando se ríe se tapa la boca con la mano. Todos los miembros de la familia tienen los ojos y el pelo negros como el carbón. La más joven es una niña de cuatro meses que se llama Desideria. Tiene labio leporino.

Cuando Dag y Pu consiguen librarse del comité de recepción en la estación, se van corriendo a jugar detrás de la herrería, cosa que tienen terminantemente prohibida. Mamá piensa que de ninguna manera deben jugar con los niños del herrero. La abuela es de la opinión contraria, por eso les dan permiso para estar juntos. Solo hay un sitio vedado por la prohibición más absoluta: la poza que hay detrás de la herrería. Se trata de una hondonada circular llena de agua, situada en la accidentada pradera que se extiende desde la abrupta pendiente del bosque hasta el río y los barrancos. En primavera, la poza puede llegar a tener más de dos metros de profundidad, en verano mucho menos. En sus turbias aguas abundan los renacuajos, los albures y algún que otro gobio gordo.

Precisamente esta tarde se está desarrollando una batalla naval en el agua. Dos grandes cajones, convenientemente calafateados y embreados y con calaveras pintadas en la provisional popa de carpintería, representan un barco pirata y otro de filibusteros de la reina Isabel, respectivamente. Dag, el hermano de Pu, es el organizador y el jefe del juego bélico. Se ha adjudicado a sí mismo el papel de capitán de los piratas. Matsen es el general Archibaldo. General y pirata están solos en sus respectivas naves. A una señal convenida se lanzan los dos, cada uno desde su extremo de la poza, y navegan con ayuda de remos de fabricación casera hasta encontrarse a toda velocidad. El choque es brutal. A continuación los combatientes tienen que empujar y arremeter uno contra otro con ayuda de los remos. La batalla debe durar cinco minutos bajo la vigilancia de la hermana mayor de Matsen, Inga-Brita, que tiene a su disposición el despertador de la familia del herrero. El que caiga al agua, pierde. Si encima se logra que el barco se escore, el triunfo será absoluto.

Bengt, Sten y Arne Frykholm, los de la casa de la Misión, están de parte de Dag. Los chicos Törnqvist, moqueando y tosiendo siempre, están con Matsen. Pese a la permanente hostilidad, la solidaridad familiar exige que Pu esté de parte de su hermano. El combate resulta enconado, como era de esperar, y al cabo de unos minutos de esgrima ritual pasa a ser una pelea declarada. Dag es un tipo agresivo que se pega por cualquier cosa. Al cabo de unos minutos ha volcado el barco de Matsen y salta del suyo. Con el agua fangosa hasta el pecho los contendientes siguen pegándose de verdad y haciendo verdaderos esfuerzos por ahogarse mutuamente, jaleados por sus respectivos partidarios. Cuando la pelea va degenerando, Helga abre la ventana del piso de arriba y grita que si alguien quiere refrescos y bollos tendrá que subir inmediatamente. El público abandona en el acto a los luchadores y estos, a falta de atención, dejan de pegarse y vadean hasta tierra firme. Se quitan los pantalones mojados pero conservan los calzoncillos, así que Dag no corre peligro de que lo descubran y Pu no se atreve a ir con el cuento.

Los niños se agolpan en la cocina de los herreros. Se reparten dos vasos y cuatro tazas de loza desportilladas a los invitados, que tienen preferencia, y después los bollos recién hechos. Sigue un suave y cortés ruido de sorber. El sol lanza penetrantes rayos a través de la sucia ventana, el polvo reluce, hace mucho calor y los inusuales olores resultan sofocantes. Helga levanta a su hija pequeña y le da el pecho sentada en una cama pintada de marrón, en la habitación que hay al otro lado de la cocina. Se sube la manchada blusa granate por encima de los pechos y Dediseria chupa con ansiedad. Cuando la niña está harta y ha eructado, la deja acostada en la cama. Helga se vuelve hacia mi amigo Jonte y le dice que se acerque: ven, Jonte, ahora te toca a ti. Es posible que a Jonte le dé vergüenza, no me acuerdo, no lo creo. En todo caso, se acerca a su madre y se coloca entre sus rodillas. Ella levanta su pesado pecho y él succiona ávidamente. (Jonte ha estado tuberculoso y ha pasado todo el invierno en un sanatorio). Cuando ha saciado su sed se seca la boca con el revés de la mano y mastica su bollo de centeno con melaza. Helga está a punto de bajarse la blusa sobre los pechos y levantarse de la cama cuando Pu, en voz alta, pregunta si puede probar él. Todos se echan a reír, es una risa que resuena por toda la cocina sucia y cálida. La mujer se ríe también y sacude la cabeza: bueno, Pu, yo no tengo nada en contra, pero tendrás que preguntarle primero a tu abuela o a tu madre. Vuelven a reírse todos y a Pu le da vergüenza: empieza a ponerse colorado en las orejas voladizas, luego en las mejillas y en la frente, luego llegan las lágrimas, no hay posibilidad de detener las lágrimas. Helga le da unas palmadas con su dura mano y le pregunta si no quiere otro bollo, que ella le pondrá la melaza, pero Pu no quiere más bollos, la torpe amabilidad de la mujer le hace sentirse aún más turbado, las lágrimas se deslizan por su nariz hasta las comisuras de la boca. Puta mierda de los cojones. Puta mierda. Todos se ríen por tercera vez. En realidad, Pu es una niña, como podéis ver, advierte su hermano Dag. Pu le tira su taza de refresco a la cara y se marcha furioso a la herrería dando traspiés por la escalera.

Junto a la ventana llena de hollín está Maj conversando con el herrero. Tiene que soldar una cacerola que se ha roto. En la fragua arde el fuego de carbón. Ruedas negras, palancas y ejes de transmisión, el banco de madera lleno de cicatrices bajo la ventana de la pared larga. El suelo resbaladizo, corroído, tiene remiendos de trozos de tabla y de piedras planas. Olor a carbón quemado, a aceite caliente y a hollín. Además, el herrero exhala su propio olor, quién sabe a qué. En cualquier caso, no es un olor repugnante y parece que a Maj le gusta. Se ríe de algo que opina el herrero y se echa un poco hacia atrás, pero no con desagrado.

Maj vuelve su cara pecosa y tostada por el sol hacia Pu y dice riendo tontamente que ahora tienen que darse prisa para no llegar tarde a la cena. Se quita un mechón de pelo de la frente. El herrero saluda a Pu y le muestra sus dientes, blancos, como nuevos. Fuera de la herrería espera un chico larguirucho con un caballo grande que hay que herrar. Despedida rápida y momento de encaramarse en la bicicleta de Maj. Pu se coloca en la parrilla de atrás y se sujeta a los muelles del sillín. Justo delante de sus ojos se mueven el culo de Maj, las caderas, la cintura y la espalda, que huelen a Maj. Pu ama a Maj casi tanto como ama a su madre, a veces más, pero de una manera turbadora.

Al llegar a Correos, el pedregoso camino se eleva en una cuesta corta pero muy empinada. Maj forcejea un poco con los pedales pero desiste y suben caminando uno al lado del otro empujando juntos la bici. ¿Has llorado?, pregunta Maj sin mirar a Pu. No, no he llorado para nada pero me enfadé mucho, contesta Pu inmediatamente. Cuando me enfado parece como si llorase, pero no lloro. ¿Fue Dag?, sigue preguntando Maj. Pu piensa un momento y dice con seriedad: algún día le clavaré un cuchillo. Después, sorbe los mocos de la nariz, sintiéndose casi repuesto. Tú no vas a acuchillar a tu hermano en absoluto, dice Maj riéndose. Porque si lo haces irás a parar a un reformatorio. ¡No te rías!, chilla Pu, y le da un empujón a Maj, que tiene que dar un paso a un costado. No empujes, mocoso, dice Maj con cariño, y luego: vale, no, no me voy a reír, te lo prometo. Pero tienes que aprender que la gente se ríe de muchas cosas, eso no es malo. Tú también puedes reírte.

A las cinco en punto todos los habitantes de la casa están junto a sus sillas en torno a la mesa del comedor. Cruzan las manos y dicen al mismo tiempo: bendecid, Señor, los alimentos que vamos a tomar y hacednos partícipes de la mesa celestial. Después se sientan todos con ruido y estrépito. He aquí a los reunidos, diez personas en total: mamá y papá, enfrente uno del otro. A la derecha de papá, campea tía Emma, que en realidad no es tía nuestra, sino tía de papá, un descomunal dinosaurio sobrante de la familia de papá. («Tía» era un tratamiento antiguo, un poco pueblerino, que se aplicaba a parientas mayores solteras o sin familia. La tía Emma vivía casi siempre sola en un piso de doce habitaciones en la ciudad de Gävle. Era muy glotona y terriblemente tacaña, además de no muy amable, más bien pendenciera y con una lengua muy afilada. El deber cristiano prescribía la visita de tía Emma en verano y en Navidad. Con los niños era ásperamente amable y complaciente, nos leía cuentos, jugaba al parchís. Pu era su favorito, y ella se ufanaba en explicarle que algún día heredaría la fortuna de su tía. Pu se sonreía entonces con adulación, porque era seguramente un niño un poco pelotillero).

A la izquierda de papá está sentada Lalla, como sobre ascuas, porque desaprueba profundamente la democrática ocurrencia de mi madre de que, en verano, los señores y los sirvientes se sienten juntos a comer. (No soy capaz de recordar si Lalla tuvo alguna vez un aspecto diferente o especial. Una persona bajita, nervuda, de ademanes rápidos, con una cara básicamente sensata, sonrisa sarcástica, frente ancha, el cabello gris peinado con raya al medio, mirada azul profundo. Lalla era, como se ha dicho, la reina y señora de la cocina. Había conocido a mamá de niña y de jovencita, pero seguía llamándola, impertérrita, señora Bergman).

Junto a Lalla está Maj. Vigila de cerca a la Nena, que tiene cuatro años y acaba de sustituir la sillita de niño por una normal con un cojín. (La Nena era una niña rolliza, amable y tierna. A Pu le gustaba jugar con su hermana cuando nadie los veía. Si Dag andaba cerca, la llamaba «la gorda». Como Dag sacudía a Pu con cualquier pretexto, Pu sacudía igualmente a la Nena sin motivo. La Nena se sentaba sobre su redondo trasero y miraba asombrada a su hermano mientras sus grandes ojos azules se llenaban de lágrimas. Pero raras veces decía nada. Pu prefería jugar con su hermana en la ingeniosa casa de muñecas que a los soldaditos de plomo con su hermano).

Al otro lado de la Nena está Marianne, una belleza morena de caderas anchas y pechos altos. (Papá y mamá habían sido muy amigos de los padres de Marianne, muertos en un accidente de tren. Marianne se había preparado con papá para la confirmación y visitaba con frecuencia la casa rectoral. Este verano daba clases de repaso de alemán y de matemáticas a Dag. Él no tenía nada en contra, porque estaba enamorado de su bella profesora. Pu también estaba enamorado, pero a distancia. Se daba cuenta de sus limitaciones. Al mismo tiempo no veía a su hermano con buenos ojos y lo zahería porque manifestaba con demasiada claridad sus tiernos sentimientos. Marianne tenía una hermosa voz de contralto y quería ser cantante de ópera).

Mamá tiene a Dag y a Pu a su izquierda. Al lado de Pu se sienta Märta. (Märta Johansson era una mujer alta y delgada de edad indefinible, algo vacilante y ligeramente cargada de espaldas. Era, en realidad, maestra, pero estaba delicada —enferma del corazón, le faltaba un pulmón—.

Su suave carácter y su dulce trato la hacían amiga de todo el mundo. Es decir, de todos menos de Lalla, quien no la podía ni ver, porque una noche había olvidado apagar el hornillo de gas en la casa rectoral, provocando así una pequeña explosión. Según Lalla, habría sido mejor que «esa pobre desgraciada» hubiera palmado de paso. Cuando mamá salía con papá, Märta asumía la dirección de la casa con bondadosa determinación. Este verano estaba delicada y vino a visitar a la familia para pasar una temporada de descanso y solaz. Pu pensaba que los ángeles serían como Märta. Murió unos años más tarde y seguro que se convirtió en uno de ellos).

El menú de la cena de los sábados era fijo, cambiaba raras veces. Se componía de albóndigas con macarrones guisados y confitura de arándanos rojos. De postre, crema de ruibarbos, de fresas o de uvas crespas. Y siempre, de primer plato, arenque marinado y patatas nuevas. El pastor toma una copita de aguardiente y un vaso de cerveza para acompañarlo. El resto de la familia toma cerveza floja y, por ser sábado, gaseosa.

El comedor, que también sirve como cuarto de estar, es amplio y luminoso y limita con una estrecha galería. Maj sirve la mesa y Marianne echa una mano si hace falta. Märta tiene que cuidarse y Lalla ha recibido órdenes de quedarse sentada tranquila y dejarse servir, cosa que le desagrada.

Se están sirviendo las patatas para el arenque y, mientras circula la fuente, papá sirve el aguardiente y tía

Emma toma también unas gotas con los dos trozos de arenque y la patata rosa de piel finísima. Vamos, entra en el encuadre, puedes colocarte allí, junto a la puerta de la galería, o sentarte en el panzudo sofá, debajo del reloj de pared, vamos, entra: al empezar nos quitamos la palabra de la boca unos a otros cortésmente y en voz baja. Se habla del tiempo, naturalmente: del tiempo que hace en Estocolmo o del que hace en Dufnäs, del repentino calor, y tía Emma, que dice que hay tormenta en el ambiente, lo nota en la rodilla, al mismo tiempo que comenta en tono de entendida que las albóndigas están buenísimas. Lalla responde que se alegra de que la señorita Eneroth aprecie las albóndigas. A Lalla no le hacen mella las alabanzas ni las críticas, sobre todo si proceden de la señorita Eneroth.

El único que sermonea alguna vez, con tiento, a Lalla y toca su orgullo, propio de la región de Småland, es el pastor. A ella le gusta, lo encuentra natural. Una suave amonestación reconforta el alma. Los campos están secos y nuestro arroyo baja con poca agua, dice mamá. Es una pena por las margaritas y las campanillas. Yo he descubierto un sitio, dice Marianne con entusiasmo. Es un pequeño prado camino del Gimmen. Está lleno de flores y de fresas. Dag y yo estuvimos anteayer, no, el martes. Vaya, vaya, así que de excursión en mitad de la semana, dice papá, en broma. Tiene la frente algo encendida por el aguardiente. Debería usted venir con nosotros, Erik, dice Marianne evasiva. Es un paseo precioso. El prado está completamente escondido, no se ve desde el camino. Sería agradable, contesta papá sonriéndole a Marianne. Por cierto, esta mañana vino Alma, dice mamá de pronto. También vino Siri, dice Märta con su dulce voz, que es casi un susurro. Me enseñó la labor que está haciendo, voy a hacer algo parecido. Es bueno tener algo entre manos ahora que estoy tan pachucha. Y se ríe.

Märta tiene mucho mejor aspecto ahora que cuando llegó hace unas semanas, la consuela papá amablemente. Ella sacude levemente la cabeza. En todo caso, Alma dice que Ma vendrá un rato esta tarde con tío Carl. Pues qué bien, agrega papá rápidamente. Menos mal, dice Dag, tío Carl me debe dos coronas y quiero que me las devuelva. Ya te daré yo tus dos coronas, dice mamá zanjando la cuestión.

Así que viene la tía, dice papá, todavía con la frente un poco enrojecida. Ya podemos traer la crema de uvas crespas, dice mamá volviéndose a Maj y Marianne, que enseguida se ponen de pie y recogen los platos de las albóndigas. Sí, continúa mamá, viene para hablar de la excursión que haremos todos juntos a las majadas de Mång y también para darte la bienvenida. Carl la acompaña porque Ma no quiere andar sola por el sendero del bosque desde que se torció el tobillo. Entonces podemos probar a ver si tío Carl sabe disparar con arco, dice Dag. Papá se sirve crema y vierte leche en el plato hondo con cenefa de flores en el borde: de todas formas me parece raro, dice papá, moviendo la cabeza. ¿Qué es lo que es raro?, replica mamá al momento. A mí me parece raro que la tía se tome la molestia de venir desde Våroms hasta aquí. Sería más fácil que nosotros, que somos jóvenes y ágiles, nos diéramos un paseo por la tarde por el bosque. Sí, pero ya sabes cómo es Ma, intercede mamá con amabilidad. Debe de aburrirse un poco allí sola en una casa tan grande.

¿No piensa ir ninguno de sus hijos a verla este verano? ¿Ni siquiera Ernst? No lo sé, pero así están las cosas, mamá frunce la frente, la voz se hace un *sí es no es* cortante. ¿Y la comida de mañana? ¿Qué vamos a hacer con ella?, pregunta papá. Pues, como de costumbre, supongo. ¿Hay algún problema? Es que como yo, ya sabes, tengo que ir a predicar a Grånäs, no es seguro que me dé tiempo a llegar a casa para las cuatro, replica papá, ahora mirando a mamá. ¡Pero, *por favor,* Erik! ¡Ahora sí que no entiendo nada! ¿Quieres decir que para volver desde Grånäs tardarás *tres* horas? Eso no es posible. Sí que es posible, contesta papá en tono tranquilo. Es completamente posible porque no me puedo escapar de tomar el café después del servicio. En su carta el párroco hizo *especial* hincapié en que se alegraba muchísimo de que nos viésemos después de la misa solemne. De modo que no creo que pueda salir de Grånäs antes de las dos… y el tren de mercancías de Insjön que tengo que tomar sale justo después de las tres y media. Vas a tener que decir que no por mi parte, desgraciadamente. A propósito, ¿vienes conmigo, Pu? ¿Qué?, dice Pu abriendo la boca más de lo habitual; por un lado, no ha oído muy bien, por otro, no le gusta escuchar cuando papá y mamá emplean ese tonillo especialmente amable, y por otro, ha captado el sentido de la pregunta que constituye una seria amenaza para los planes de mañana. ¿Qué? Sí, Pu, te pregunto que si tienes ganas de venir con tu padre a Grånäs. Podemos pasarlo bastante bien, ¿no te parece? (Silencio breve). Pues claro que le apetece, dice Marianne conciliadora. Por supuesto que Pu tiene ganas de ir contigo, dice mamá. Seguro que será divertido, dice Dag riéndose con franca alegría del mal ajeno. Papá mira a su hijo, que está paralizado y mudo mientras engulle su crema de uvas crespas con leche. Pu, no te sientas obligado, dice papá bondadosamente. Si tienes algo más divertido que hacer, no tienes que sentirte obligado. No, dice Pu. Mamá se ríe un poco, siempre tiene que andar disimulando. ¿Hemos terminado? Pues nos levantamos. Todos se levantan, se colocan detrás de las sillas, cruzan las manos sobre el respaldo: gracias, Señor, por los alimentos que acabamos de tomar. Amén. Inclinaciones, reverencias. Y uno se acerca a mamá, le besa la mano y da las gracias por la comida y luego todos ayudan a recoger la mesa, excepto papá y tía Emma, que se sientan en la galería todavía achicharrada por el sol, entre pelargonios y enredaderas.

Dag acerca su cara a la de Pu: ¡Qué bien!, ¿eh? Marianne lo descubre y le tira de las orejas: métete en tus cosas o te pongo a hacer cuentas todo el domingo.

Eso, vigila a Dag para que cierre el pico aunque solo sea una vez, se queja Pu, que está muy pesaroso ante el problema que ha surgido.

Marianne lo agarra por los hombros y lo oprime contra su blando pecho: estoy segura de que papá se alegraría si dijeras que quieres ir con él. Pu mueve la cabeza: se alegraría mucho más de que fueras *tú*. Marianne mira gravemente a Pu: eso no puede ser. ¿Por qué no puede ser? Simplemente, no puede ser, dice Marianne soltando a Pu.

No os escapéis, grita Maj, tenéis que ayudar a fregar, y tú, Pu, a secar los cubiertos. Arrastra a Dag con ella. Solo voy a mear, grita Pu, y se escabulle por detrás de Marianne. Cruza corriendo la explanada y llega a la linde del bosque, detrás del cerezo, pero no mea. No hace más que estar allí, mirando a hurtadillas hacia la vivienda dahlbergiana y sus habitantes.

Ve a papá y a tía Emma en la galería. Papá prende un purito y tía Emma toma las píldoras contra la acidez. Mamá aparece unos instantes en el vano de la puerta de la escalera llevando a la Nena de la mano. ¿Está Pu ahí?, dice sin más rodeos, aunque sin esperar contestación. Märta cruza por el comedor con una bandeja de vasos y platos, dice algo inaudible y mamá contesta que Pu no puede manifestar su mal humor de una manera tan desagradable: tengo que hablar con él. Lalla sube con cuidado por los escalones de la cocina con un cubo pequeño: ¡Hay que cerrar las puertas porque, si no, se nos va a llenar esto de moscas y mosquitos! Marianne ha subido al piso de arriba y está peinando su espeso cabello castaño con enérgicos movimientos, se ve que está cantando en voz baja. Mamá sale a la galería con la Nena de la mano. Por el camino toma una muñeca de trapo grande y rota. Maj friega, se mueve con rapidez mientras habla aceleradamente con Märta, pero la ventana de la cocina está cerrada, así que no se oye lo que dice. A Dag lo han provisto de un paño y está secando vasos. Märta ayuda a secar, sentada en una silla. Se ríe de algo que dice Maj, que empuja a Dag con el trasero. Marianne baja corriendo las escaleras y agarra a la Nena. La alza en brazos. Va sin mangas. La Nena sujeta con fuerza su vieja y descuajeringada muñeca. Se acercan al alto piano tallado y Marianne se sienta con la niña en las rodillas. Tocan una nota detrás de otra: primero la Nena, luego Marianne. Mamá está junto a la mesa de las plantas, en la galería, vuelta hacia Pu pero sin verlo. Está muy ocupada quitando las hojas amarillas de un hermoso pelargonio que apoya su gran flor roja en el polvoriento cristal de la ventana.

El sol se ha ocultado detrás de la casa dejando la galería en una sombra azulada. Susurros en los árboles, crujidos y chirridos en los añosos troncos del cerezo. Pu no puede librarse de una tristeza repentina. Afortunadamente, no dura mucho.

Se oyen voces allá, junto a la verja desvencijada. La abuela y tío Carl llegan resoplando tras el fatigoso paseo por el bosque desde Våroms. Eso ofrece una oportunidad excelente para librarse de secar la loza, por lo que Pu echa a correr por la explanada del patio en dirección a la verja. La abuela le palmea las mejillas y tío Carl le sacude con fuerza en la nuca. Huele a licor. Pu sabe que es olor a licor porque mamá siempre saluda a tío Carl con la misma frase: yo no entiendo por qué Carl siempre tiene que oler a licor. A lo que Carl replica que puede deberse a que siempre está tomando licor. El tío Carl tiene una barba bien cuidada, grandes ojos azules tras los quevedos y manos gruesas y blandas, una gran barriga con cadena de reloj, traje de verano blanco algo manchado y cuello duro con corbata. En la cabeza lleva un sombrero arrugado de lino.

La abuela es bajita pero, pese a su corta estatura, es casi imponente. Tiene sesenta y dos años, la cara redonda con una buena papada, los ojos escrutadores, entre azules y grises, el brillante pelo blanco peinado hacia atrás desde la ancha frente. Lleva un traje negro hasta el tobillo, cuello blanco y puños de encaje. En el brazo, un abrigo de verano entre gris y beige. Abuela tiene unas manos pequeñas y redondas, que pueden ser blandas y duras.

Creo que Pu ha crecido desde ayer, dice tío Carl bromeando. O será la nariz. Tío Carl le tira de la nariz a Pu. Pu está encantado, tío Carl es uno de sus preferidos. Abuela pone su abrigo en los hombros de Pu y lo toma de la mano. ¿Vienes mañana y así leemos unos cuantos capítulos de *La isla del tesoro?* No, no puede ser, dice Pu. ¿Que no puede ser? No, no puede ser porque tengo que ir a Grånäs con papá. Tiene que predicar en la iglesia y quiere que vaya con él. Ah, bueno, bueno. Parece divertido, se burla tío Carl. Abuela le echa una rápida mirada y ya no dice nada más. ¡Ya leeremos el doble el próximo domingo!, dice abuela oprimiendo la mano de Pu.

Mamá viene a nuestro encuentro y papá baja la escalera de la galería, tía Emma se asoma a la puerta interior. ¡Bienvenido a Dufnäs, querido Erik! Que tengas unas vacaciones agradables y descansadas. ¡Gracias, querida tía! ¡Muy amable!

Hola, Carl, pasa a tomar un coñac. Papá palmea los brazos de tío Carl. No hay coñac, dice mamá con determinación. Todos los demás miembros de la familia están ya en el patio saludando a la abuela con mayor o menor grado de cordialidad. Mamá dice que vayamos al cenador de las lilas, donde van a servir café y tarta.

Hoy me apetece tirar con el arco, exclama tío Carl. Si hay alguien que se atreva a desafiarme, apuesto una moneda de dos coronas. Saca su monedero y extrae una moneda reluciente que deja en la agrietada repisa del reloj de sol. No sabes lo que te gastas, dice abuela riendo mientras toma asiento en una de las butacas de jardín que un día fueron blancas. Tía Emma, mamá y papá, la acompañan. Enseguida empiezan a hablar de la excursión a las majadas de Mång que, tradicionalmente, se lleva a cabo el segundo domingo de agosto.

Lalla está sentada en la escalera de la cocina y toma café sorbiéndolo a través de terrones de azúcar; a su lado tiene una labor de punto. Märta se sienta en la hamaca con una novela y Maj está preparando los dormitorios para la noche. Silba mientras trabaja.

Además de tío Carl, en el concurso de tiro participan Dag, Pu y Marianne. El arco es un cruce de juguete y arma, un chisme bastante peligroso. La diana es una gran tabla de reglamento con círculos de colores en torno a un punto central negro. La apoyan contra la puerta del retrete y se mide la distancia a pasos. A Pu le dan unos metros de ventaja.

Tal vez este verano no vayamos a la excursión, se oye decir a la nítida voz de barítono de papá. Mamá dice algo que no se oye bien y la sonrisa de abuela sigue siendo amable. Las flechas se clavan en la blanda superficie de la diana. No, no vamos a ir, vuelve a oírse la voz de papá. Märta levanta los ojos de la novela y después vuelve a ella. Lalla sorbe un poco, ha vertido la hirviente bebida en el platillo y lo sostiene con las yemas de tres dedos. Tío Carl dispara. Marianne aplaude. Ahora le toca a ella. Dag está tirado boca abajo en el suelo contando los puntos. El tío Carl ha encendido un puro y se ha sentado en un taburete olvidado hace años en el prado y plantado allí para siempre. Pu es el encargado de ir a recoger las flechas disparadas.

Muy amable por su parte, tía, pero en realidad su ofrecimiento no cambia las cosas, dice papá. Sigue siendo la voz de papá la única que se oye, pese a que todos están envueltos en una conversación bastante animada. Muy, muy amable, tía, y seguramente va usted a pensar que somos unos maleducados, pero yo… *Tú* puedes decir que no por lo que a ti respecta, pero yo, de verdad, decido que, mamá ha levantado la voz pero no se oye qué es lo que decide en realidad. Sopla un vientecillo suave entre los árboles ahora, un rato antes de la puesta del sol. Una vaca muge en el corral de los Berglund y Sudd da unos cuantos ladridos.

Veo con sorpresa que todavía no he hablado de Sudd. Sudd es un perro de lanas color castaño, de noble pedigrí, y, según su árbol genealógico, su nombre es *Teddy af Trasselsudd.* Siendo todavía cachorro, huyó de un circo junto con su madre y fue a parar a la perrera municipal, punto de reunión de los canes perdidos de la ciudad. Papá lo compró por cinco coronas. Se convirtió inmediatamente en un miembro de la familia. Pu le tenía miedo a Sudd, y el perro lo notó enseguida. Le mordía a la menor ocasión. Pero Pu no dejaba de vengarse: cuando Sudd estaba durmiendo, le echaba agua encima o le hacía estallar un petardo en una oreja. Ahora Sudd ladraba a la vaca de Berglund por aquello de mantener el orden.

Le toca jugar a Pu, pero no tiene fuerzas para tensar bien el arco. Siente la gorda barriga de tío Carl a su espalda. ¡Espera, que te ayudo! Pu está rodeado por tío Carl y el humo de su habano, tío Carl lo ayuda a tensar el arco: ¿Qué? ¿Lo hacemos?, dice tío Carl en voz baja con el habano entre los gruesos labios azulados. ¿Lo hacemos? Pu entiende a la perfección de qué se trata. Tío Carl y Pu sostienen el arco juntos y tiran de la cuerda y la flecha, pero el extremo de la flecha ya no apunta al blanco sino al cenador. La aguda extremidad recubierta de acero busca entre los asistentes: papá no, mamá no, Pu cierra los ojos y los abre, los vuelve a cerrar. Tío Carl respira pesadamente, suenan pequeños estertores tras el estrecho chaleco y algunos murmullos en el estómago. Bueno, ¿lo hacemos?, susurra, y suelta una nube de humo encima de Pu. Abuela está sentada de perfil, en este instante vuelta hacia tía Emma. Está hablando, el dedo índice golpea enérgicamente el borde de la mesa. Imagínate hacer callar por fin esa lengua de vieja cotorra que no para de hablar, murmura tío Carl.

Mamá se levanta para servirle a la abuela un poco más de café. Oculta a la abuela con su cuerpo. De repente se dispara la flecha y da en el centro negro de la diana. ¡Coño, ganó Pu!, grita tío Carl totalmente en contra de todas las reglas, y entrega la moneda de dos coronas al sorprendido y boquiabierto muchacho. Cierra la boca, Pu, dice el tío oprimiéndole la barbilla con su blanda mano. Cuando abres así la boca pareces tonto. Y tonto no eres, ¿verdad? ¿O eres tonto?

Maj aparece en la escalera de la cocina con una lechera de porcelana en la que deben de caber unos tres litros. ¿Vienes conmigo a buscar la leche, Pu?, grita a través del patio. Sí, sí, ahora voy, le contesta él metiéndose las dos coronas en el bolsillo del pantalón.

Maj camina con rapidez por el declive que conduce al bosque. Pu anda medio corriendo a su lado. Ella va vestida con su traje azul de hilo, el cabello pelirrojo recogido en una trenza que le llega hasta la cintura. Anda con la cabeza adelantada, la naricilla respingona apunta al frente, y va silbando para sí misma. Toda Maj huele bien a sudor y a un jabón verde que se llama Palmolive. Llegados al puente que hay sobre el arroyo, se paran. El agua fluye en silencio y apresurada; junto a las piedras de la orilla se han formado pozas oscuras en las que el agua se mueve en un lento remolino. En los guijarros del fondo se mecen las algas, se ondulan y se mecen. ¿Ves algún pez?, pregunta Pu. Cállate, los asustamos con nuestra patosa manera de andar. Tenemos que esperar un poco y mantenernos callados. Pu está de rodillas y apoyado en las palmas de las manos, al lado de Maj, que se ha puesto en cuclillas. Se aprieta con cautela contra su cadera, ella le echa el brazo sobre los hombros. Súbitamente, la corriente de agua se llena de afanosas sombras relucientes. Bajo las sombras se desliza una pesada silueta aplastada con la cabeza pelada, es un bagre de cabeza de toro. El arroyo emana su frescor suave, y Maj desliza una mano hacia el cardumen, que se esfuma con un violento movimiento conjunto. Solo queda el bagre, sobre la arena del fondo.

Aquí fue donde se ahorcó el relojero, murmura Maj. ¿Qué? Maj pestañea mirando a Pu y lo reprende: siempre estás diciendo «¿qué?» como si no oyeras, pero oyes la mar de bien. ¿Dónde se ahorcó? Mira que no saberlo. Allá lejos, detrás de aquellos dos abetos que están juntos. Allá, entre todo el ramaje. Pues sí, se ahorcó. Todos decían que se había quitado la vida por una traición de amor, pero no es verdad. ¿Por qué fue, entonces? Yo no sé muy bien. Es Lalla la que sabe toda la historia, pregúntale a ella. ¿Se aparece?, pregunta Pu con el cuerpo atravesado por un estremecimiento de frío cuya causa, el frescor del arroyo o la proximidad al pavoroso suceso, es difícil saber. ¿Que si se aparece? Sí, dicen que sí, y que revuelve el ramaje. Por cierto, que ahí hay unas víboras muy gordas, así que anda con cuidado y mira bien.

Fantasmas y víboras, murmura bajito Pu para sí mismo. Lo que es yo, nunca he visto nada, dice Maj. Pero es que yo nunca veo esas cosas. Hay que ser especial para ver espíritus y fantasmas y duendes. Mi abuela es clarividente, yo no soy nada clarividente. Pero *yo* sí lo soy, dice Pu, porque yo nací en domingo, soy un niño de domingo. ¿Eres un niño de domingo? No lo sabía. Pues sí, sí, yo nací el 14 de julio de 1918 a las tres de la mañana. ¿Y qué has visto, entonces?, pregunta Maj con cierta suspicacia. Pues bastantes cosas. Pu se da importancia. Tienes que contármelas. Todo eso es de lo más interesante. Maj le echa agua en la cara a Pu y se ríe: lo que tú quieres es darte importancia.

Se levanta y echa a andar deprisa por el serpenteante y pedregoso sendero. Pu va medio corriendo.

—Si quieres, me aparezco a ti cuando me muera.

—¿Y para qué?

—Podría contarte lo que pasa.

—¿Dónde?

—Lo que pasa allí, en el otro mundo.

—Te lo agradezco, pero no tengo el menor interés.

—Puedo aparecerme con mucho cuidado. Si quieres, hasta de día.

—¿Qué tonterías son esas, Pu?

—Te lo prometo.

—Cuando uno se muere, muerto está.

—Y, entonces, el relojero, ¿qué?

—Bah, eso son solo cuentos chinos.

Maj se ahogó en el río unos años más tarde. Se quedó embarazada y el padre del niño no quiso saber nada de ella. Un día primaveral de invierno apareció flotando en el meandro del río con una gran herida en la frente. A veces pienso en ella y en la conversación que tuvimos en el puente del arroyo. Nunca se me ha aparecido, pero ella tampoco me prometió nada a mí.

La finca de los Berglund se extiende a ambos lados de la carretera. Las viviendas están orientadas hacia el bosque; cuadras, caballerizas, cobertizos y establos, frente a los sembrados, que descienden hasta el río y la estación de ferrocarril. La casa de madera data del siglo XVIII y en ella hay una cocina de hogar con la mesa para comer y dos escaños de pino. Al otro lado del zaguán está la lechería. En la buhardilla se apretujan dos pequeñas alcobas con el oscuro desván atestado de objetos domésticos y prendas de varias generaciones.

El patio es grande y está bien cuidado. Al fondo se eleva un vetusto almacén habilitado como granero. Enfrente de la vieja casa está el relativamente reciente Undantaget, un edificio con galería de cristales y huerta de árboles frutales en la parte de atrás.

Quien ayuda en la lechería es la anciana señora Berglund. Es gruesa y achaparrada, lleva un paño envolviéndole el pelo y un gran delantal de rayas. Tiene la cara acorchada y la boca desdentada. La lechería es espaciosa, pero solo tiene una ventana; paredes, suelo y techo están pintados de blanco. En las paredes hay anchos anaqueles con quesos de diferentes clases. En una esquina brilla la desnatadora manual. En mitad del suelo campea la tina de la leche. La señora Berglund saca la leche con una medida de litro que tiene un mango largo y se curva en el otro extremo.

Vamos a matar dos terneras esta tarde, así que diles a la señora Bergman y a la señora Åkerblom que hay carne de ternera. Y también hígado. Al pastor le gusta mucho el hígado de ternera. Ha llegado hoy, ¿no?, me parece que se lo oí decir al chico. Estuvo en la estación y Ericsson dijo que el pastor había llegado de Estocolmo en el tren de las tres. A lo mejor el joven Bergman quiere un caramelo de miel.

La señora Berglund se balancea sobre sus piernas hinchadas hasta un armario pintado de azul y decorado con flores y figuras. Lo abre y saca un cuenco de porcelana con panzudos caramelos amarillos que parecen cojines. Puedes coger dos, dice la vieja echando el aliento sobre Pu. Pu en realidad nunca ha visto una persona tan fea, ni siquiera tía Emma se aproxima a la devastadora fealdad de la señora Berglund. Tienes que dar las gracias, indica Maj. ¿Qué?, dice Pu, y se da cuenta al momento. Muchas gracias, dice con una ligera inclinación. Separa dos caramelos pegajosos y se los mete rápidamente en la boca de manera que los carrillos le abultan como bollos. Están buenos, ¿eh?, dice la señora Berglund haciendo guiños. Casi no se le ven los ojos detrás de tantas arrugas y bultos de color terroso. ¿Quieres una taza de café, Maj? He hecho café para los de la matanza. No, gracias, tenemos que irnos ahora mismo, dice Maj haciendo una reverencia. Pero gracias de todas formas. ¿Estás contento de que haya venido tu padre de vacaciones?, pregunta la señora Berglund poniendo la mano en la cabeza de Pu. Pu asiente con la cabeza. Mañana vamos a ir a Grånäs y papá va a predicar. Ya lo sé, ya, dice la vieja empujando la tapadera sobre el depósito de la leche. Es una pena que no pueda ir a la misa solemne en Grånäs, porque está demasiado lejos. Y el Ford de los chicos está en Borlänge reparándose. La señora Berglund los acompaña hasta las escaleras del zaguán, pero luego va a la cocina para vigilar la panzuda cafetera. No te olvides de decirle a la señora Bergman lo de la carne de ternera, recomienda con una sonrisa desdentada. No me olvido, no. Buenas noches, señora Berglund. Buenas noches, Maj, y buenas noches, Pu.

Abajo, junto al establo, se está haciendo la matanza. El primer ternero está ya colocado en una plataforma con el cuello rebanado y su sangre cae a borbotones en un barreño de latón. El viejo Berglund sostiene el recipiente y bate la sangre. Los dos hombres jóvenes le han colocado un ronzal al otro ternero. Atan una cuerda al ronzal y sacan al ternero al patio. El labrador tiene un martillo detrás de la espalda. Los tres hijos pequeños están cohibidos alrededor del lugar de la ejecución. La joven señora Berglund ayuda a su suegro con el ternero recién sacrificado.

Pu se queda como petrificado en el patio. Ha visto matar gallinas, que es bastante divertido a la vez que horroroso: una vez se escapó un gallo y se posó en el tejado del cobertizo y allí estuvo aleteando sin cabeza durante varios minutos antes de desplomarse. Pero Pu no ha visto nunca matar a un animal tan grande como un ternero. El labrador golpea al ternero entre las orejas con el martillo y provoca un sordo crujido. El ternero salta y baila, algo oscuro cae sobre el ojo del animal. Aún recibe otro pesado golpe y se desploma, se levanta enseguida pero permanece inmóvil con el morro abierto. Tras un tercer golpe, las patas delanteras se doblan de súbito y el animal cae agitándolas.

El viento se ha calmado en el cerezo y empieza a anochecer, pero el cielo aparece de pronto despejado y de un amarillo llameante sobre las colinas del oeste. El tren de la tarde, que va a Krylbo, pita al pasar por debajo de Våroms y recupera el aliento en la estación, el humo sale verticalmente de la chimenea de la locomotora, se pueden oír los resoplidos y la voz del señor Ericsson. Está hablando con un mozo de estación mientras baja la barrera del semáforo y da la señal con la bandera.

En la vivienda dahlbergiana o «la creación», como dice el tío Carl, se han encendido las lámparas de queroseno en el comedor, en la cocina y en la galería de abajo. En la habitación de mamá, en el piso de arriba, una lámpara sigue encendida a causa de la Nena, que se asusta fácilmente de la oscuridad. Si se contempla la casa, o como quiera llamársela, desde el retrete, se ve que brilla de dentro hacia fuera, casi parece una vivienda encantada de cuentos y ensueños.

Los adultos están reunidos en torno a la mesa del comedor, iluminada por dos lámparas, una en el techo y otra en la mesa. Mamá está bordando en bastidor, papá lee el periódico del día, ambos usan gafas, las de mamá están siempre en la punta de su nariz. Tía Emma hace solitarios. Märta se inclina sobre su cuaderno de dibujo y pinta con leves acuarelas una rigurosa imagen de una linnea. Marianne está leyendo una gruesa biografía de Richard Wagner con un lápiz en la mano y, de vez en cuando, subraya algo.

En la cocina, Dag y Pu están comiendo su bocadillo de pan duro con queso de suero y beben un vaso de leche todavía tibia. Lalla está también sentada a la mesa de la cocina zurciendo un calcetín: se ha quitado los chanclos y se ha calzado unas blandas zapatillas en los doloridos pies. A pesar del sofocante calor, se ha echado una chaqueta de lana por los hombros. Las gafas son redondas, de delgada montura de acero. En la mesa, junto a ella, está la última taza de café del día.

—Mañana es la Transfiguración de Cristo —informa Lalla como si los hermanos Bergman hubieran de sentir interés por un acontecimiento semejante—. Mañana es el día de la Transfiguración de Cristo —repite—, y es un día muy especial.

—¿Por qué? —pregunta Pu por cortesía.

—Es el día en el que Dios habla a sus discípulos. Oyen una voz parecida a un trueno entre las nubes que dice: «Este es mi Hijo, el Amado, en quien me complazco; escuchadlo a Él». Dios quiso dejar claro que Jesús era su amado hijo. Seguro que había gente que lo dudaba.

—¿Y qué tiene eso de extraordinario? —pregunta Dag sorbiendo del vaso.

—En el pueblo donde nací y me crié, el día de la Transfiguración es importante.

—¿Por qué es importante? —pregunta Pu, que empieza a sentirse interesado a su pesar.

—Se puede saber, por ejemplo, cuánto tiempo se va a vivir. El que sale al amanecer y va a un sitio en el que alguien se ha quitado la vida, se entera de muchas cosas. Eso era verdad en mi tierra.

—¿Has hecho tú la prueba? —pregunta Dag con ironía.

—Yo no, pero mi hermanastra sí.

—¿Y?

—Yo no digo nada. Pero te aseguro que era una cosa extraña. Y ella había nacido en domingo, por cierto.

—¿Qué? —dice Pu con la boca abierta.

—Yo he nacido en jueves y puedo ver a las chicas guapas a través de la ropa —dice Dag cándidamente.

Mordisquean el pan de galleta, toman la leche. Lalla sonríe, la dentadura postiza es bonita y regular: tiene una sonrisa luminosa que pasa rápidamente a sus ojos azul agrisado.

—Nunca se puede saber lo que es verdad y lo que no en esas cuestiones. Pu ve cosas distintas de las que ve Dag. El pastor ve cosas distintas de las que ve la señorita Eneroth. Yo veo cosas que Maj no ve. Cada cual ve lo que tiene que ver.

—¿Por qué se quitó la vida el relojero? —pregunta Pu de repente. Lo pregunta aunque no quiere preguntar, pero ahora la pregunta está hecha.

—Nadie lo sabe con certeza —dice Lalla con aire de saberlo.

—Lalla, cuenta, anda.

—Eso, y entonces Pu se asusta y se mea en la cama —dice Dag.

—Cierra el pico —dice Pu un poco impaciente, pero sin enfadarse.

—Nadie lo sabe con certeza —repite Lalla—. Pero dicen (yo lo he oído decir) que se volvió loco de *miedo.* Él no era de aquí, sino de Tammerfors. Primero se estableció en Kvarnsveden, pero allí nadie tenía interés por los relojes, así que las ganancias no fueron buenas. Cuando su mujer murió de tifus se trasladó a Borlänge y allí había mucha actividad por entonces, así que ganó bastante dinero. Pero la gente pensaba que era raro. ¡Qué va! Era siempre amable y educado, así que no era por eso. Además, cumplía los encargos como es debido, seguro que era un hombre cabal, pero aun así, la gente pensaba que era un poco raro.

—¿Por qué se mató? —Pu se rasca una picadura de mosquito en la corva. Ha dejado de comer su bocadillo. También Dag muestra, a su pesar, un escéptico interés. Lalla ve que ya ha cautivado a sus oyentes y no se da ninguna prisa.

—En la tienda tenía un reloj de pared, alto y estrecho y de color negro con adornos de oro alrededor de la esfera. La caja tenía una puertecilla en la parte de arriba que se podía abrir y allí estaba el péndulo, pero, por alguna razón, tenía también una puertecilla abajo. Allí no había nada... o *parecía* que no había nada. El reloj hacía tictac pausada y dignamente, daba las horas y las medias con un tono grave. Durante muchos años no pasó nada en particular con el reloj aquel. Al contrario, funcionaba bien y nunca hubo que arreglarlo. Pero, de repente, lo que se dice en un día, parecía otro. Empezó a atrasar y a adelantar, a veces varias horas al día. Y cuando, por ejemplo, tenía que dar las dos, daba las siete. Y cuando tenía que dar la hora, daba la media, y a veces se quedaba completamente callado como un muerto pero empezaba a andar otra vez sin que el relojero lo hubiese puesto en marcha. Lo del reloj se convirtió en una preocupación seria para su dueño. Lo arregló y le cambió el mecanismo, las ruedas de engranaje, las pesas, el péndulo y las manecillas. Pero como si nada. Terminó llevándose el reloj a su cuarto, que hacía las veces de cocina y de dormitorio, un oscuro cuchitril detrás de la tienda. No quería tener el revoltoso y desordenado reloj en su local y que todo el mundo se riera. Eso no podía ser. Era comprensible. De esa manera, empezó a vivir con el reloj día y noche. Cerraba la tienda varias veces al día y se precipitaba en la trastienda para ver si su reloj había recobrado la cordura. Por las noches se despertaba a cada hora y escuchaba las campanadas, pero comprendió que todo estaba mal. Un día, cuando estaba desmontando el reloj para revisar el mecanismo, saltó una de las ruedas como por impulso propio y le hizo un corte profundo en la muñeca. Sangró muchísimo y la sangre cayó en el reloj y en la mesa de comer. Tuvo que ir corriendo a la enfermería para que lo vieran y le cortaran la hemorragia.

»Una noche se despertó sobresaltado porque el reloj dio trece o tal vez catorce campanadas, aunque en realidad eran las tres y media de la madrugada. Pese a que era invierno y estaba oscuro, una extraña luz inundaba la habitación y parecía concentrarse en torno a la parte inferior del reloj, una luz rara, que no era ni del ocaso ni del amanecer.

»El relojero se sentó en la cama mirando de hito en hito.

Maj se desliza descalza por la cocina. Pone una taza de té floreada y sin asa en la mesa. Está llena hasta los topes de frambuesas en sazón.

—¿Dónde has encontrado frambuesas en esta época del año, Maj? —dice Lalla sorprendida y tal vez agradecida por la interrupción, pues se da cuenta de que una pausa artística le sienta bien a su relato. Puede que se haya metido en un callejón sin salida con su relojero y ahora quiera ganar tiempo para encontrar una solución.

—Encima del viejo molino. Allí salen siempre frambuesas dos veces cada verano. Fui solo por ver. Estaba lleno de frambuesas. Pero se hizo muy de noche.

—Toma un poco de café, Maj. Queda una gota en la cafetera.

—Estamos hablando del relojero —informa Dag.

—Ah, ¿sí? ¿De eso? ¿No es algo demasiado terrible para Pu a estas horas de la noche?

—¡Bah! Yo no tengo miedo.

—¿Cómo sabe la gente todo eso acerca del relojero? —pregunta Dag.

—El relojero pasó los últimos años de su vida en una pequeña casita de la finca de Anders-Per en el camino de Solbacken, a una media legua de aquí. Y Anders-Per le contó a vuestra abuela que el relojero había dejado una carta en la que ponía: «Para abrir después de mi muerte». Aunque claro está que nadie sabe nada seguro, porque la carta solo la leyó Anders-Per y luego desapareció cuando murió el viejo y los jóvenes vendieron la cómoda que tenía en una subasta.

—Venga, cuenta —suplica Pu impresionado.

—Pues sí —dice Lalla con nuevos bríos—. Vio que la puertecilla inferior de la caja del reloj empezaba a abrirse sola. Y de la oscuridad de allí dentro salía un ruido raro. Casi como un llanto, se me figura a mí. Pero no se veía nada. El relojero sentía un terror indescriptible y no pudo quedarse en la cama. Con mano temblorosa prendió la vela de la mesilla de noche, saltó de la cama y se acercó sigilosamente al reloj. Iba con la palmatoria en la mano, pero estaba tan impresionado que olvidó las zapatillas y no notó que el piso estaba helado porque el fuego se había apagado y la habitación estaba muy fría.

—Eso se comprende —dice Pu castañeteando los dientes.

—Pues sí. Así que el relojero se acercó furtivamente al reloj y se dio cuenta enseguida de que el péndulo se movía más despacio de lo acostumbrado, se arrastraba y renqueaba y parecía que se paraba, aunque no lo hacía. La manecilla de las horas y la de los minutos se habían caído y las dos señalaban el número seis. La puertecilla de arriba permanecía cerrada, pero se oían crujidos en la de abajo, que se abrió un poco más. El relojero cayó de rodillas con su largo camisón, abrió la trampilla del todo y alumbró con la vela el oscuro hueco. Al principio no vio nada, claro, pero cuando se le acostumbró la vista, descubrió una puertecilla dentro de la puertecilla, y esa puertecilla se había entreabierto. Y entonces vio quién lloraba. Era un ser muy muy pequeño, una mujer que, encogida allí dentro, sollozaba de un modo terrible. Iba vestida con una camisa larga y el cabello largo y negro le cubría los hombros. El relojero vio que el reloj se había parado por completo, y solo se oían los desconsolados sollozos de la mujer y el soplo del viento en el tubo de la chimenea. Estiró la mano y rozó a la personita, que no mediría más de medio metro pero no era una niña ni una enana, sino una mujer de verdad. Cuando la tocó, ella alzó la cara, antes oculta tras el pelo y las manos. Y entonces, al mirar ella hacia arriba, él pudo verle la cara.

»Tenía grandes ojos ciegos, vacíos, no eran más que el blanco de los ojos levemente azulado, la boca entreabierta y no se veía ningún diente, porque la boca estaba ensangrentada y los labios estaban ensangrentados. El rostro era delgado y pálido, casi demacrado, pero la frente era despejada y la nariz delgada y fina. El relojero pensó que la mujercita era el ser más hermoso que había visto en toda su vida, a pesar de ser tan condenadamente pequeña.

—Seguro que se enamoró de ella —dice Maj.

—Yo no sé si se enamoró exactamente, pero algo debió de pasarle al pobre relojero —suspira Lalla sacando el huevo de zurcir del calcetín. Lo estira sobre la mesa y le pasa la mano por encima.

—¿Y luego? —requiere Pu impaciente y aterrorizado al mismo tiempo.

—Pues levantó a la pequeña dama sacándola de su prisión y le limpió la boca y la frente con un trapo húmedo y la envolvió en un chal y la metió en su cama. Encendió la lámpara de queroseno y se quedó mirando a la mujer, que había cerrado los párpados sobre sus ojos ciegos. Seguramente dormía. No había pasado mucho rato así cuando el gran reloj negro empezó a crujir y a dar sacudidas como si se hubiera vuelto loco. Una y otra vez tocaba, irregularmente, y una sola campanada cada vez. Era un ruido *abominable*, no se puede describir de otro modo. Las dos puertecillas, la de arriba y la de abajo, se abrían y se cerraban con violentos golpes y el péndulo iba de un lado a otro. El relojero comprendió que el reloj se había puesto furioso y que pensaba matarlo. Así que corrió al taller en busca de un martillo de acero con un pesado mazo en un extremo y un cortante filo en el otro. Y se abalanzó contra el reloj a martillazos. Al destruir la esfera de un solo golpe, el reloj cayó sobre él con todo su peso y su envergadura, era más alto que el relojero, que era un hombre pequeño y flaco. El relojero no pudo evitar una herida en el pie, pero justo antes de que el reloj se derrumbara, en el momento mismo en que la esfera se rompía bajo el martillo, le pareció ver un rostro desfigurado y maligno que asomaba tras el mecanismo y las varillas del reloj. Un rostro malvado y desmesurado con los ojos ciegos, saltones, y la boca llena de dientes podridos abierta en un alarido. El rostro tenía un tajo profundo en la frente del que manaba sangre. Era, sin duda, espantoso, pero aún faltan cosas más horribles. —Lalla vacía su taza de café y aprovecha el azúcar del fondo con la cucharilla. Maj, Dag y Pu aguardan con devota atención—. Bueno, así pues —dice Lalla al cabo de una bien medida pausa—, el relojero hizo añicos su reloj y con ello, tal vez, destruyó al ser que habitaba en su interior. La verdad es que eso no es tan seguro, solo es una suposición, porque no lo menciona en la carta que dejó tras su muerte.

»Mientras el reloj se iba rompiendo, la mujercita aullaba y ululaba como una loca, no con gritos humanos, sino de animal, como los de un zorro atrapado en un cepo o algo así. El relojero trató de consolarla, pero fue en vano. Ella no hacía más que gritar y gritar, así que él la apretó contra sí, la acarició, le habló, quizás hasta se le declaró, no lo sé muy bien, pero ella no hacía más que gritar y gritar y el relojero se fue llenando de desesperación y lloraba y le suplicaba como si le fuera la vida en ello. Y de la vida se trataba, eso está claro. Y, bueno, la mujer trató de sujetarle las manos, pero, como era ciega, él pudo protegerse. De repente, se soltó del abrazo, rodó por el suelo y se escabulló a cuatro patas. La mesa con la lámpara de queroseno se volcó y empezó a arder en un rincón, no estoy segura, la carta no decía nada de eso. El relojero se abalanzó tras ella, la agarró y la besó, pero ella le mordió los labios. Fue una lucha terrible y seguramente no puede contarse todo lo que pasó en ese combate. Por fin, el relojero pudo alcanzar el martillo e hizo añicos a la mujer de la misma manera que había hecho añicos el reloj. Se había vuelto medio loco. Cuando se tranquilizó un poco, cavó un hoyo en el jardín y enterró a la mujer y el reloj. Días más tarde, abandonó tienda y casa en Borlänge y se fue a vivir a casa de Anders-Per, camino de Solbacken. No había pasado un año cuando se ahorcó.

La tarde se adensa fuera del círculo amarillo de la lámpara de queroseno, una mariposa nocturna golpea la pantalla de cristal. De la habitación vecina les llega la canción de Marianne. Canta sin acompañamiento uno de los cantos de Jonas Love Almqvist.

Oh, Señor, qué hermoso es
oír la música de la boca de un ángel bienaventurado.
Oh, Señor, qué delicioso
morir en esa música y canción.
Fluye tranquila, oh, alma mía, en el río,
en el oscuro, celestial río purpúreo.
Cae tranquilo, oh, dichoso espíritu mío,
en el abrazo de Dios, tan bueno y saludable.

Dag se levanta en silencio y deja su vaso vacío junto al fregadero. Se va. La puerta del comedor se abre y se cierra sin hacer ruido.

—Dag está enamorado de Marianne —dice Pu.

—Un mocoso como tú, Pu, no puede entender esas cosas —contesta Maj, dándole un pellizco en la oreja.

Pu está encantado.

—Que sí. Lo ha dicho él mismo. Dice que piensa ser cantante de ópera, como Marianne.

—Pu, no andes contando chismes de tu hermano, eso no está bien. —Lalla se levanta y recoge su cesto de costura—. Además, ahora debes irte a dormir.

—Puedo estar levantado hasta las nueve y media.

—¿Quién ha dicho eso?

—Lo ha dicho la abuela.

—Ya. Eso será en casa de la abuela, pero ahora estamos en casa de los Bergman y aquí solo es hasta las nueve.

Pu se levanta de la silla suspirando y pensando en el día de mañana. Son muchas las cosas que van a pasar el día de la Transfiguración del Señor. Al amanecer, se acercará al lugar del suicidio a ver si puede encontrarse con el relojero, y después tiene que ir con su padre a la iglesia de Grånäs.

—¿Qué pasa, Pu? ¿No te sientes bien?

—¿Qué? —dice Pu con la boca abierta.

—Cierra la boca, Pu. Te pregunto que si no estás bien. —Maj contempla la menuda figurita.

—Claro que estoy bien, mierda —suspira Pu—, pero es que son *tantas cosas*...

—Venga, vamos a oír a Marianne un ratito y luego ya te llevaré yo a la cama. Vamos, no te quedes ahí con la boca abierta. Tienes que acordarte de tener la boca cerrada. Pareces tonto con la boca abierta.

—Ya lo sé. Solo los idiotas andan con la boca abierta.

—Buenas noches, Pu —dice Lalla—. Y no te olvides de que eres un niño nacido en domingo.

—Ya —dice Pu inclinándose, abrumado y elegido—. Ya.

—Buenas noches, Maj. Me voy a mi cuarto.

—Buenas noches, señora Nilsson.

—Buenas noches, Pu.

—Buenas noches, Lalla.

Lalla desaparece por la escalera de la cocina en dirección a la barraca de las estrechas celdas. Maj sujeta a Pu por el delgado cogote y lo hace entrar delante de ella en el comedor.

Marianne está cantando ante el crepúsculo. Han apagado las lámparas y en el ancho aparador solo han dejado un par de velas iluminando la habitación. La joven está sentada en la silla del piano, ligeramente inclinada y con las manos en el regazo. Su mirada es oscura y dilatada, canta con una voz que le nace y vive en el cuerpo. Yo también estoy enamorado de ella, piensa Pu con tristeza.

Mamá está sentada junto a la mesa del comedor con la cabeza apoyada en la mano y los ojos cerrados. Pu suspira: pero sobre todo estoy enamorado de mamá. Quiero sentir su aliento, pero ahora mismo no me atrevo a acercarme a ella. No, será mejor no molestarla. Pu se sienta en una silla de respaldo alto junto a la puerta del vestíbulo. La Nena baja descalza y medio dormida del piso de arriba. Camina abrazada a Baloo, su osito de peluche. Pu la alcanza en el umbral y la sienta en sus rodillas. Ella se deja hacer y se mete inmediatamente el dedo gordo en la boca. Las largas pestañas le tiemblan en las mejillas, se apretuja contra Pu, a quien le gusta estar sentado al anochecer con su hermana en brazos.

Papá ha separado su silla de la mesa y se ha puesto las gafas en la frente, tapándose los ojos con las manos; se ha desatado la bota izquierda y mueve el dedo gordo del pie dentro del calcetín. Tía Emma duerme en una cómoda butaca con un cojín detrás de la cabeza. Tiene la boca abierta y la respiración acatarrada es casi un ronquido. La mirada de Märta es dulcemente inmóvil y triste. Tiene frío, a pesar del calor que permanece flotando en el aire. Sus mejillas están encendidas. Seguramente tiene fiebre.

Dag y Pu comparten una habitación que, a causa de la falta de planificación de la casa, tiene la forma de un guardarropa infinitamente alargado de aproximadamente dos metros por siete. El techo es abuhardillado y uno no puede acercarse a las cuadradas ventanas si no mide menos de ciento tres centímetros. Dos miserables camas de hierro de temblorosos somieres están adosadas en fila a la pared larga. Una mesa plegable entre las ventanas. Dos sillas desparejadas y un tambaleante armario de luna completan el mobiliario.

Pu duerme o tal vez no duerme. Dag lee un libro de tapas rojas, posiblemente no hace más que contemplar las ilustraciones fotográficas. Una palmatoria puesta sobre una silla suministra la modesta iluminación. Pu se incorpora y mira.

—¿Qué lees?

—Lo que no te importa.

—¿Es el libro de las mujeres desnudas?

—Ven, te dejo mirar por cinco céntimos.

Pu se apresura a sacar cinco céntimos de una caja de cartón.

—Aquí los tienes.

Los hermanos se engolfan en el libro rojo, que se titula *Nackte Schönheit.* Dag, que ha estudiado alemán dos años, sabe lo que significa. Las fotos representan a señores y señoras que posan, corren, saltan, hacen gimnasia, toman café, cantan en torno a una hoguera de campamento. Todos están desnudos. Dag señala una foto: esta tiene una buena peluca en el coño, ¿has visto qué arbusto? La imagen representa a una mujer delgada que está a punto de hacer un puente hacia atrás. Está en un fuerte contraluz. Me gusta más esa, propone Pu concentrándose en una chica metida en carnes que corre en dirección a la cámara. Creo que se parece a Marianne.

—Vete a hacer puñetas, no se parece en *nada.*

—No, pero mira, esa sí que está bien —dice Pu, a quien le empiezan a arder las mejillas—. Está pero que muy bien. Dan ganas de pegarle un bocado.

—Tú estás loco —dice Dag cerrando el libro—. No te conviene ver fotos así. Vamos a dormir.

—¿Quién te ha dado el libro?

—No me lo ha dado nadie, lo he comprado, idiota.

—¿A quién?

—Al tío Carl, naturalmente. Tuve que pagar una cincuenta. El tío Carl nunca tiene una perra. Si pudiera, vendería a la abuela.

—¿Crees que se podría sacar algo por tía Emma?

—Para librarse de esa bruja habría que pagar. Lalla podría rendir bastante, seguramente.

Silencio y oscuridad durante unos minutos.

—¿Dag?

—Cierra el pico, estoy durmiendo.

—¿Crees que Maj jode con Johan Berglund?

—Cierra el pico. Maj jode con papá. Si ya lo sabes, idiota.

—¿Con papá?

—No quiero hablar. Cierra el pico.

—Pero ¿y Marianne, entonces? ¿No es ella la que jode con papá?

—Esa también. Pero si ya sabes que papá pierde la cabeza por joder. Se tira a todas las mujeres menos a Lalla y a tía Emma.

—¿Jode también con la abuela?

—Pues claro, pero solo en Navidad y en Semana Santa. Cierra el pico ya.

De la cama de Dag llega un débil y rítmico crujir. Pu va a decir algo, pero se contiene. No sabe con exactitud a lo que se dedica su hermano en ese instante pero sospecha que es algo terriblemente prohibido.

—¿Dag?

—Cierra el pico, coño.

—¿Crees que papá y mamá están jodiendo ahora mismo?

—¿Quieres que te sacuda?

Un silencio. El acompasado crujir de la cama se intensifica.

—¿Dag?

—¡Ah!

—¿Qué haces?

No hay respuesta. La cama enmudece.

—¿Dag? ¿Duermes?

No hay respuesta. A falta de interlocutor, Pu se duerme casi enseguida. Finalmente duermen los inquietos habitantes de la morada dahlbergiana.

Un viento nocturno sopla desde la cresta de las montañas y resuena en los pinos y en los cerezos y en los ruibarbos. Cae una fina lluvia sobre el recalentado techo de latón embreado, pero cesa casi al instante.

La escalera cruje y aparece tía Emma en la puerta de la habitación de los muchachos. Va ataviada con una larga mañanita encima del camisón. En la cabeza lleva un gorro de punto, el pelo trenzado en una dura coleta gris. Respira pesadamente por el esfuerzo de la escalera.

—¿Estáis durmiendo, chicos?

Murmullos, gruñidos somnolientos.

—Necesito que uno de vosotros me ayude.

—¿Qué?

—Tengo que ir al retrete.

—¿Qué?

—Tengo que ir al retrete enseguida. Alguien tiene que ir conmigo y llevar una linterna y sostenerla. No puedo ir sola porque me caigo.

—¿No puede hacerlo en el cubo, tía Emma?

—Es que tengo que hacer *lo grande,* sabes, Dag.

—¿No puede esperar hasta mañana por la mañana, tía Emma, y que Maj o Märta la ayuden?

—No puedo aguantarme, Dag. Anoche me comí media cesta de higos. Ay, me duele mucho el vientre y se me escapa.

—*Yo* la ayudo, tía Emma —dice Pu solícitamente.

Se levanta de la cama y se pone las sandalias. Dag se da la vuelta hacia la pared.

—Qué bueno eres, Pu, con la vieja tía. Te daré una corona por la molestia.

—Claro que puedo ir yo si usted se empeña, tía —dice Dag sentándose en la cama.

—No, gracias. Sigue durmiendo tranquilo. No te molestes por tía Emma.

Y la procesión se pone en marcha. Pu delante con la vieja linterna del establo en la mano izquierda. Con la mano derecha sostiene con firmeza la pequeña y gordezuela mano de tía Emma. La tía se mueve con cuidado, pone un pie delante del otro, jadea por el esfuerzo y los dolores de vientre. De vez en cuando se para en la pequeña cuesta, con una manta echada sobre los hombros. Sigue lloviznando, pero el calor del sol acumulado durante el día hace humear la hierba circundante y las piedras del sendero.

Finalmente llegan a su destino. Colocan la linterna en una de las tapas del retrete y la anciana señora se acomoda gimiendo en el agujero mayor.

Pu se sienta fuera, en la escalera, y se rasca una picadura de mosquito. La puerta está abierta, por si acaso. El vientre gigantesco de tía Emma retumba y borbotea. Pedos sordos y aromáticos trompetean en la paz nocturna. Tras la delgada espalda de Pu se oyen jadeos y resoplidos. Y se sucede el chapoteo sordo y pesado en el barril y luego el sonido afilado de un violento chorro de agua. Mea como un caballo, piensa Pu. Se tapa prudentemente la nariz con los dedos índice y pulgar, con discreción, para que tía Emma no lo vea y sienta vergüenza. Y luego se hace el silencio.

—¿Ha terminado ya, tía Emma?

—No, no. No, no me atosigues.

—Podemos estarnos aquí toda la noche si usted quiere, tía.

—Tú sí que eres bueno, Pu querido.

—¿Le duele mucho el vientre?

—No sé muy bien. Sí, seguro que todavía me duele. No sé, Pu querido. Estoy tan triste. Toda yo estoy triste. Estreñimientos, diarreas, nunca hay armonía. A veces me parece que las tripas y el estómago y hasta el alma se me van a salir y creo que voy a morirme. Y entonces pienso en toda la comida que me trago y juro que en lo sucesivo voy a tener cuidado y a no comer lo que no me sienta bien. Pero al día siguiente rompo mi promesa y todo vuelve a las andadas. Ay. Ay. Oh. Ay, ya empieza otra vez. Ay, me muero.

Trompetas en sordina y redobles apagados sobre tambor flácido. La enorme figura, débilmente iluminada por el resplandor vacilante de la linterna, se mece, se encoge y se estira, las gruesas piernas se balancean, los codos se aprietan contra los costados. ¡Ay, ay!

—Y ahora, claro, empezará a sangrar. Estas horribles almorranas que nunca se cierran. Tendré que echar mano del gorro de dormir para contener la hemorragia. ¿Por qué no pueden permitirse los Bergman usar papel higiénico como es debido? ¿Por qué ha de usar el pastor papel de periódico? Yo lo pagaría de buena gana. Ay, ya empieza otra vez, y yo que casi…

El jadeo se ha interrumpido, Pu ya no oye la respiración de la tía. Se vuelve. ¿Y si tía Emma está muerta ahí dentro y lo observa con ojos desorbitados, muertos? Qué miedo, entonces. Pero no está muerta. Lo que pasa es que la anciana señora se ha puesto las manos sobre la cara. Está sentada, derecha, con el camisón subido sobre los poderosos muslos, el pelo en desorden después de quitarse el gorro de dormir, con las manos en la cara permanece allí sentada meciéndose en silencio. ¿Llora acaso?

—¿Está triste, tía Emma?

—Sí.

—Pero ¿por qué?

—Esto es un infierno, querido Pu.

—¿Qué?

—Sí, sí.

Se quita las manos de la cara y Pu puede ver sus lágrimas, que relucen como pequeños regueros por las flácidas mejillas. Inclina la cabeza y palpa la linterna. La sombra de la pared crece desmesuradamente. Y entonces dice con una voz especial:

—La vejez es un infierno, ¿sabes, Pu querido? Y luego se muere uno y eso tampoco es muy divertido. Los demás sienten alivio y heredan unas perras y hasta algunos muebles. Y tuvo suerte la vieja de estirar la pata de una vez. Nunca se preocupó por nadie. Así que ella también estuvo sola. Pero la verdad es que murió de un atracón. Aunque preparaba una cerveza de Navidad muy rica, eso no puede negarse.

Tía Emma arruga el papel de periódico, coloca el gorro de dormir en el lugar adecuado y se sube las bragas color de rosa de largas perneras, y tras la operación se baja el camisón. Pu la ayuda a descender los dos escalones del trono del retrete. La mano que ella le tiende está fría y húmeda. Y le palmea la cabeza a Pu con un gesto desmañado. Sobre el monte y tras el perfil del bosque ya despunta un débil resplandor de amanecer.

Pu duerme el sueño de los agotados. Quizá sueñe que vuela o que es muy pequeño y yace desnudo encima del desnudo vientre de Maj o que al fin consigue el poder de matar. Primero matará a su hermano y luego debe morir papá. Pero antes papá tendrá que rogar y llorar y gritar de miedo. Aun así, debe morir, eso es absolutamente necesario. El rey le ha ordenado a Pu que mate a su padre, así que no hay nada que discutir.

Alguien ha dicho que «el temor realiza lo temido». Es una buena regla y es válida también para niños pequeños como, por ejemplo, Pu. Desde el pasado invierno viene alimentando una angustia que se repite con frecuencia: que papá y mamá ya no quieren seguir viviendo juntos. Esto es debido a que Pu fue testigo involuntario de un breve altercado entre ellos. Cuando se dieron cuenta de que eran observados dejaron de pegarse inmediatamente para preocuparse de Pu, que no pudo evitar llorar de espanto. Papá tenía un arañazo en la mejilla. Mamá estaba desmelenada y le temblaban los labios, tenía ojeras y la nariz enrojecida. Los padres le explicaron enérgicamente que las personas adultas pueden enfadarse entre sí como cualquier niño. Las palabras y las explicaciones sirvieron de poco. Pu tuvo miedo, y no tanto esa vez como luego. El miedo apareció poco a poco y él empezó a mirar a sus padres con especial detenimiento. Vio entonces que a veces se les ponía una cara especial y una voz especial. Papá empalidecía, sus ojos también y la cabeza le temblaba casi imperceptiblemente. Mamá olía a metal y su voz, tan suave y cálida, se volvía seca, como si le faltara el aire. Pu habló con su hermano de la cuestión, pero Dag lo miró burlonamente y se echó a reír: a mí esos dos me importan un rábano. Por mí pueden irse al infierno. Lo importante es que me dejen en paz y que ese maldito sinvergüenza que dice ser mi padre deje de arrearme con la pala de sacudir alfombras. Pu se calló y se fue. El problema no desapareció.

Ahora se despierta de su profundo sueño. Siente como un ligero golpe en el diafragma, está confundido y no sabe en qué lado de la realidad se encuentra: en la suya, dominada y bien controlada por el propio Pu, realidad entremezclada ciertamente con extrañas imágenes y figuras, pero que, con todo, es su propia y fácilmente reconocible realidad, o en la otra, la aterradora y nueva realidad que ha empezado a invadir sus pensamientos y sus sentimientos. Un segundo después de abrir los ojos sabe qué es lo que lo ha arrancado de sus sueños. Oye voces en la habitación de su madre: voces bajas, susurrantes a veces. Son papá y mamá, que mantienen una especie de conversación, no reconoce sus voces o, mejor dicho, esas voces le recuerdan momentos anteriores de terror repentino, ¿qué *coño* está pasando ahora? ¿Qué son estos susurros, estos tonos esquivos y extraños en mitad de la noche? A Pu le castañetean los dientes, esto es una cabronada, tengo que oír bien, tengo que escuchar detrás de la puerta para oír bien lo que dicen. Pu se levanta de la cama y posa los pies desnudos en el piso de corcho. A pesar de que el calor no se ha ido de la alargada habitación, siente el contacto frío y tirita.

Ve enseguida que la puerta de la habitación de su madre está entreabierta y adopta una posición adecuada en el rellano de la escalera: puede ver sin ser visto. Mamá está sentada en la cama con los brazos rodeando las rodillas, el camisón le ha resbalado sobre el redondo hombro; no se ha hecho la trenza de dormir y su espeso cabello castaño le cae por la espalda. Su cara está pálida a la luz incierta del amanecer. Las guirnaldas de flores de la persiana, las paredes de un verde suave, el biombo chino en torno al palanganero, los pequeños cuadros de paisajes (acuarelas pintadas por el tío Ernst), la alfombra de jarapa de color amarillo solar, todo parece ahora gris y móvil, lento, lento. Papá está sentado en una silla blanca de respaldo alto. Lleva una camisa de dormir corta con ribetes rojos, está descalzo, las manos cruzadas. A Pu le parece que lo mira fijamente pero son ojos ciegos, probablemente no ve nada más que su propia tristeza. La imagen de los padres se graba en su memoria a pesar de la débil luz. Recuerdo la imagen. Puedo verla ahora mismo o en el momento que desee, puedo recordar lo pavoroso de su distancia y su inmovilidad. El instante que fue el golpe mortal definitivo contra la imagen del mundo controlado por Pu, donde hasta los fantasmas y los castigos eran pruebas de una realidad dominada por el propio Pu. La idea se vino abajo o se diluyó, no quedó nada. Un rey fue destronado y obligado a dejar su reino y como el más pequeño y mísero de todos los pequeños y míseros fue obligado a explorar el país que le fue arrebatado y que para su espanto carecía de límites. Allí estaba mamá en la cama con los brazos en torno a las rodillas, allí estaba papá sentado en una silla de alto respaldo con las manos cruzadas y la mirada fija en algún punto situado detrás de la oreja izquierda de Pu. No recuerdo qué palabras se dijeron, recuerdo la imagen y el frío del suelo, creo que recuerdo los tonos de voz de mamá y el rico perfume de las flores y del jabón de mamá. Pero no recuerdo las palabras. Son inventadas, adivinadas, reconstruidas sesenta y cuatro años después del instante que nos ocupa.

—Es humillante —dice papá, y aspira profundamente.

—Ya te dije que no tenías por qué venir.

—Tenía que venir por una razón muy simple. Os echo de menos a ti y a los niños, no quiero estar solo. Bastante soledad he tenido ya.

—¿No puedes tratar de portarte un poco bien, Erik? Nos alegra mucho tenerte aquí, te das cuenta, ¿no?

—Ya, me imagino que... Pero es tan humillante. Y luego irrumpe tu madre con el payaso de Carl a remolque. Y ni siquiera pregunta si conviene.

—En eso eres verdaderamente injusto. Mamá se tomó la molestia de venir hasta aquí solo para darte la bienvenida.

—A lo que vino es a avergonzarme, conozco muy bien a esa infame. Menudo triunfo para ella que tengamos que vivir así, en esta repugnante choza y rodeados de este repugnante paisaje. Contra *mi* voluntad. Contra mi voluntad *expresa.*

—No sabía yo que a un siervo de Dios le estuviera permitido vivir con tanto odio dentro.

—No puedo perdonar a quien quiere aniquilarme.

—Es horrible oírte.

—¿Ah, sí? ¿Es horrible?

—Sí, es horrible. Hablas exactamente igual que tu pobre madre. Completamente maniático.

—No puedo perdonar a una persona que me odia simplemente porque existo.

—¡Hablas igual que tía Alma!

—Nosotros no éramos tan finos. No, eso es. No éramos tan finos. Así es.

—Tendrías que oírte.

—Y tú tendrías que oírte cuando dices «tu pobre madre».

—¿Qué es lo que *estamos* haciendo en realidad?

—Nosotros no podíamos ir al teatro ni hacer viajes a Italia ni a Mösseberg, y no teníamos dinero para comprar las últimas novelas.

—Tú realmente no puedes decir nada de eso porque te has beneficiado de mi dinero tanto como los niños y yo.

—Sí.

—La verdad es que no tienes que hablar de esa manera.

—No.

—Es terrible cuando te pones así.

—Sí, acaso sea terrible. Pero no fui yo quien quería vivir a toda costa en la calle Villagatan, en aquel piso tan caro. Estábamos muy bien en Skeppargatan.

—No daba el sol y los niños se ponían enfermos.

—Eso solías decir.

—El doctor Fürstenberg…

—Ya *sé* lo que dijo el doctor Fürstenberg.

Mamá está a punto de contestar, pero se contiene y calla. Ha empezado a morderse una uña y está furiosa. Aguanta y se va recargando. Pu ve que papá en el fondo ya se ha rendido, mira a su esposa de lado y se coloca junto a la mesa escritorio blanca, su figura se recorta contra el rectángulo blanco de la persiana. El silencio se inflama, se vuelve cada vez más aterrador. Papá habla con una voz distinta:

—¿No dices nada?

—¿Crees que tengo algo que decir?

—Podrías decir lo que piensas.

Papá ahora tiene miedo, se nota.

—Así que quieres que diga lo que pienso —dice mamá lentamente.

Papá calla y mamá calla. Cuando mamá habla un momento después, su voz es serena como la nieve. Pu siente cómo le hormiguean las piernas y cómo se le contrae el estómago, las lágrimas se le agolpan en los ojos sin que pueda llorar. No quiere oír de ninguna manera lo que su madre tiene que decir pero no puede moverse, los pies no le obedecen, ahora tiene que quedarse y oír.

Así pues, mamá habla. Tiene la voz tranquila y se mira el dedo índice con la escama de piel mordida, sangra un poco.

—¿Quieres saber lo que pienso? Bueno, pues pienso en algo que ha estado en mi mente muchas veces este último año. O, para ser absolutamente sincera, desde que nació la Nena.

—Tal vez no quiera —dice papá con voz débil.

—Pero ahora quiero *yo* y no vas a poder impedírmelo.

—Me voy.

—Bueno, haz lo que quieras. Pero es bueno que por una vez hablemos con sinceridad. Puede ser bueno que sepamos al fin dónde estamos.

Mamá lo mira y sonríe débilmente.

—Llevo mucho tiempo pensando en irme con los niños y dejarte una temporada.

Silencio. La figura junto a la ventana está inmóvil. Mamá vuelve la cabeza y lo mira.

—Quiero trasladarme a Upsala, hay un piso libre de cinco habitaciones en la planta alta de la casa familiar y puedo alquilarlo por poco dinero. Da al patio y es soleado y silencioso y totalmente renovado con cuarto de baño y todas las comodidades. Dag y Pu tienen la escuela cerca, justo al otro lado de la calle. Y Maj se viene seguro a Upsala a ocuparse de la Nena. Y he pensado volver a mi trabajo. Le he escrito a la hermana Elisabeth y me ha dicho que sí. Y así estaré más cerca de mi hermano Ernst y de mamá y de mis mejores amigos… Sin preguntas…

Sin tu… Sin los celos… Y podré tener algo de libertad… Yo… Algo de libertad…

Se oyen unas urracas mañaneras en el abedul tras la ventana y el viento sopla un poco, la persiana se abomba. Papá ha inclinado la cabeza y dibuja con el dedo en el papel secante de la carpeta. Pu está petrificado, aterrado hasta el punto de sentirse mortalmente paralizado.

—¿De modo que quieres que nos separemos?

—Yo no he dicho eso.

—¿Quieres que nos separemos y piensas dejarme?

—¡Erik! Serénate y trata de escuchar lo que…

—Te vas y te llevas a los niños.

—Yo no he hablado *nunca* de separación…

—¿Es Torsten el que te ha sorbido el seso con esas ideas?

—No, no es Torsten.

—Pero has hablado con él.

—Pues claro que he hablado con él.

—Has hablado de nosotros con un extraño.

—¡Es nuestro mejor amigo, Erik! Y nos quiere bien.

—¡Y con tu madre, claro, y con Ernst, claro, tu estimado hermano, y con la hermana Elisabeth! ¿Con quién *no* has hablado? Oh, qué vergüenza, qué vergüenza. Hablas con todo el mundo menos conmigo. Porque creo que tienes debilidad por escuchar a personas extrañas, pero no quieres escucharme a mí.

Amargo desconcierto. Pu sigue sin poderse mover, esto es lo que más ha temido de todo, el final despiadado, el castigo sin perdón, tirado a la oscuridad cae en un foso entre piedras afiladas y nadie irá a buscarlo, nadie lo sacará de las tinieblas.

—Bueno, en todo caso, ahora ya sabes lo que quiero —dice mamá después de un largo silencio—. Preguntaste y ahora ya lo sabes.

—¿Y si no hubiera preguntado?

—No sé, Erik. No sé. Estaba esperando una ocasión, pero me sentía muy insegura.

—Pero ahora estás segura, por lo que veo.

—Anda, ven a sentarte aquí, en el borde de la cama, por favor, Erik. Estás tan lejos y tenemos que intentar salir de esto. Juntos. Yo no quiero hacerte daño.

—Vaya, no lo quieres.

El pastor parece más triste que irónico. Se sienta pesadamente en la cama, a los pies, lejos del alcance de su esposa. Ella trata de asir su muñeca, pero no.

—Es muy difícil, Erik. No quiero hacerte daño.

—Ya, eso es lo que dices.

—Pero es que cuando vienes te pones nervioso e impaciente. Y en casa hay tanto que hacer. Y tú estás siempre preocupado con tus sermones y nunca tenemos tiempo para irnos juntos de viaje, y si alguna vez lo hacemos tiene que ser a costa mía y entonces te enfadas y te pones reacio. Y encima yo tengo el trabajo de la parroquia y la casa y los niños, y se hace muy pesado a veces.

Papá se cubre la cara con una mano y gime brevemente. Resulta insólito y terrible. Mamá se pone de rodillas para llegar a la mejilla de papá con una caricia, pero él se aparta y se levanta.

—¿Te vas? —dice mamá desesperada.

—Voy a dar un paseo. Lo necesito.

—¿Ahora, en mitad de la noche?

—Ahora justamente.

—Voy contigo.

Mamá salta de la cama inmediatamente y se recoge la mata de pelo. El pie desnudo es pequeño, con el empeine alto y los dedos redondos:

—Voy contigo.

—No, Karin, gracias. Necesito estar solo.

—No puedes irte así.

—No tienes que decirme lo que tengo o no tengo que hacer.

—No te vayas. Eso es lo peor, cuando te vas.

Papá ha dado unos pasos hacia la puerta, pero se detiene y se vuelve. La voz es serena y nítida.

—Tienes que saber una cosa, Karin. Esta es la última vez que me amenazas con irte y llevarte a los niños. ¡Es *la última vez,* Karin! Tú y tu madre. Basta ya de humillaciones.

—Esto no es una amenaza.

—Peor todavía. Sabemos, pues, dónde estamos exactamente.

—Lo sabemos.

—Yo siempre he estado solo. Ahora me quedo solo de verdad.

Papá se va y Pu salta silenciosamente detrás de la puerta del cuarto de los chicos, papá desaparece bajando la rechinante escalera, ha recogido su ropa, que está en una silla junto al armario. Pu piensa en ir junto a su madre para que lo consuele. Podría decir, por ejemplo, que no puede dormir porque le duele la barriga, podría darle cierto resultado si mamá está de humor. Pero algo le dice que poco consuelo puede esperar por el momento. Mira a hurtadillas a su madre. Está sentada erguida en la cama con el pie desnudo en el suelo, solloza con sequedad y se pasa la mano por la frente y las mejillas como si quisiera apartar una tela de araña invisible. Solloza una vez, dos veces, suspira: sí, es duro.

Los gallos del pueblo empiezan a cantar, uno de los gallos vive en casa de los Berglund y el otro en casa de Törnqvist, el jardinero.

Pu se pasa un buen rato pensando y luego se decide. Sí, va a hacer eso, exactamente eso es lo que va a hacer. Ya no tiene mucho sentido volver a acostarse y taparse la cabeza con la colcha como si no hubiera pasado nada, ahora que el mundo conocido ha estallado ante sus ojos y oídos. Entra sin hacer ruido en la habitación y se viste con rapidez: la camisa lavada y relavada, los calzones cortados, los pantalones y la camiseta, las sandalias en la mano. Deslizarse escaleras abajo y evitar el escalón que cruje. El cansancio y la excitación le zumban en el estómago y algo horrible atenaza su escuálido pecho, pero yo no lloro, no se puede llorar, ya no hay perdón, no se puede suplicar a Dios con oraciones ni llanto, está clarísimo que Pu le trae a Dios completamente sin cuidado. Eso mismo es lo que Pu ha venido suponiendo desde hace un cierto tiempo. Los ángeles de la guarda se han ido batiendo las alas y Dios lo ha olvidado. Tal vez ni existe. Cosa que, por lo demás, sería típica. La bóveda celeste es blanca, sin nubes, el sol reverbera en su enorme rueda justo por debajo del cerro Djurmo. El río que descendía negro se transforma en plata fundida, es casi de día y hace calor bajo la camiseta. Sopla el viento a través de los árboles y los retoños de golondrina se tiran en temblorosas tentativas de vuelo.

Pu ve enseguida a su padre. Está sentado en el banco desvencijado bajo la galería. Se ha puesto una camisa sin cuello y sus gastados pantalones de verano, va en zapatillas y se ha echado la vieja chaqueta de piel por los hombros. Está fumando la pipa. Hay rocío en la hierba y a Pu se le humedecen los pies. Avanza hasta el banco y se sienta.

Papá mira a Pu con sorpresa.

—¿Estás levantado a estas horas?

—Quería andar un poco por el bosque.

—¿Sí? Y ¿por qué?, si se puede saber.

—Quería ver si podía ver un fantasma.

—¿Ver un fantasma?

—Un aparecido.

—¿Dónde ibas a encontrarlo?

—En el sitio del suicidio.

—¿El relojero?

—Es que soy un niño de domingo.

—¿Crees de veras que existen los fantasmas?

—Lalla y Maj dicen que existen.

—Si ellas lo dicen.

La conversación se acaba. La pipa de papá crepita. Cuando se le apaga vuelve a encenderla y Pu aspira el aroma que le gusta.

—El humo de la pipa es bueno contra los mosquitos —dice papá.

—Hay bastantes mosquitos a estas horas —contesta Pu cortésmente.

Y vuelve a hacerse el silencio. El sol surge en la cresta de los montes, blanco y furioso ya, Pu cierra los ojos, le escuecen bajo los párpados.

—¿Te apetece venir con papá a Grånäs? Iremos en tren hasta el apeadero de Djurås y luego iremos en bicicleta algo más de diez kilómetros.

Papá vuelve su gran rostro hacia Pu y lo observa con su mirada azul, se quita la pipa de la boca y pregunta una vez más. Pu calla, cae en un dilema casi insoluble: papá está triste y le pide a Pu que lo acompañe. No puede decir que no.

—En realidad había pensado jugar con los trenes y poner raíles desde el retrete, donde iba a colocar la estación de salida, hasta el abedul, allí iba a poner las agujas y la plataforma giratoria. Jonte iba a venir a jugar conmigo, ha dicho que iba a venir.

—Entiendo. No tienes que decidirlo ahora mismo. Piénsatelo.

Papá sonríe con amabilidad y golpea la pipa contra el banco. Pu atrapa una mariquita de san Antón con el dedo. El peso en el pecho sigue allí.

—Iremos en el trenecito de mercancías, que los domingos sale de Dufnäs a las nueve y solo lleva un cargamento de madera y un viejo vagón de viajeros. Y tomaremos zumo de manzana para la merienda.

Están sentados juntos pero separados por unos dos metros. El rocío se evapora, un camino de niebla se levanta sobre el río, el día va a ser caluroso.

Quisiera arrojar ahora una mirada retrospectiva en el futuro. El año es 1968. Papá tiene ochenta y ocho años y acaba de quedarse viudo. Vive en un piso de cinco habitaciones en el barrio de Östermalm. Syster Edit se ocupa de la casa. Es diaconisa, tiene cincuenta y ocho años, es una mujer espléndida de una feminidad floreciente y cálidos ojos castaño oscuro con largas pestañas. Tiene la boca grande y reidora, las manos anchas y secas. Syster Edit fue una de las primeras confirmandas de mi padre y rápidamente se hizo amiga de la familia. Habla con un fino acento de su región de origen, Hälsingland.

Papá sufría una seria invalidez causada por una atrofia muscular hereditaria, andaba con botas ortopédicas y usaba bastón, sus largas y bien formadas manos se habían entumecido parcialmente. Entre papá y Syster Edit había una relación tácita pero cariñosa. Era evidente que estaban muy a gusto juntos.

Yo iba subiendo la cuesta sur de la calle Grevturegatan. Era a comienzos de primavera, caía aguanieve y una intensa luz indirecta inundaba los montículos de nieve a medio derretir y el camino helado de la acera, escasamente enarenada. Hacía un año que mi padre y yo vivíamos en una aparente reconciliación y un entendimiento cortés. Lo que no quería decir que hubiéramos indagado en las complicaciones, las reservas, los malentendidos y el odio del pasado. No hablábamos nunca de nuestras desavenencias, que databan de tantos años como la vida de un hombre. Pero nuestra amargura se había volatilizado, aparentemente. Para mí, el odio al padre era una enfermedad rara que había afectado en una ocasión infinitamente lejana a otra persona, no a mí. En la actualidad, le echaba una mano a mi padre en materia de dinero y administración, poca cosa. Iba a verlos a él y a Syster Edit todos los sábados por la tarde y pasaba con ellos unas horas. Es una de esas visitas la que voy a relatar.

Tomé el ascensor, que me condujo con rechinante dignidad a la última planta del edificio. Di dos timbrazos cortos. Syster Edit acudió enseguida a abrir. Se llevó el dedo índice a los labios y murmuró que habláramos en voz baja: papá había prolongado la siesta una hora, había pasado una mala noche con molestias en la cadera y en la espalda. Susurré que, en ese caso, Syster Edit y yo podríamos hablar un poco de negocios. A Syster Edit le pareció una buena idea. Me preguntó si quería café o tal vez té, acababa de hacer unas rosquillas, no, gracias, venía justamente de un largo almuerzo con jefes de teatro escandinavos, no gracias. Me despojé del abrigo y me quité los mojados zapatos de invierno, me puse un par de zapatillas de mi padre y nos sentamos en la habitación de Syster Edit. Daba a la calle y no era especialmente grande, pero estaba amueblada de manera acogedora: empapelado claro, hermosos y apacibles cuadros y reproducciones, cortinas ligeras, una librería bien surtida, un pequeño sofá de dos asientos y una butaca, un reloj de péndulo con elegantes guirnaldas. La colcha de la cama era de punto grueso en tonos amarillos. Junto a la ventana había un escritorio pintado de blanco y dos sillas. Nos sentamos junto a esa mesa. Edit sacó un archivador y me enseñó, por cuestión de orden, unas cuentas pagadas, un extracto de cuenta bancaria y una carta del propietario de la casa anunciando que subiría el alquiler a partir del primero de julio. Edit leyó la carta y suspiró.

—Lo peor, ¿sabes Ingmar?, es que Erik siempre está preocupado por su economía. No sirve de nada que le diga que vivimos bien.

—Hablaré con papá.

—¿Quieres hacerme el favor de decirle de paso que no tengo intención de dejarlo y, sobre todo, que no piensas llevarlo a un asilo?

—Vaya. Así que eso dice.

—Cree que queremos quedarnos con el piso.

—¿El piso?

—A veces dice que Ingmar y yo queremos quedarnos con el piso. Y que solo es cuestión de tiempo que lo enviemos a un asilo. Entonces se acongoja terriblemente y no hay nada que le ayude.

—Y ¿cómo estás tú, Edit?

—Yo casi siempre estoy bien. Lo que me preocupa es que tu padre esté tan triste. Y tan aislado. Sufre mucho, ¿sabes?, y yo estoy a su lado y no puedo hacer nada. Y para colmo está lo de la muerte.

—¿La muerte?

—Hablando francamente, creo que a tu padre le acobarda la muerte. No lo dice claramente, pero yo sé cómo piensa Erik. Como no quiere mostrar su angustia, se queda solo también en eso. Y se impacienta y empieza a reñir por cualquier cosa. A mí no me importa. Por mí, que regañe y que riña. No lo hace con mala intención. Y a veces cuando ha alborotado más de la cuenta por una tontería, se va y vuelve con un ramo de flores. Así que, en resumidas cuentas, estamos bastante bien juntos. Pero lo grave es lo de la muerte. En eso no puedo ayudarlo, y tampoco entiendo su inquietud. Como quiera que sea, es sacerdote y debería confiar en la misericordia de Jesús. Pero me parece que ha perdido su fe. Pobre Erik, él que ha sido un apoyo para tantas personas, también para mí, para mí sobre todo. Su fe era pura y fuerte, bueno, tú lo sabes, Ingmar. A veces estaba como iluminado por su convicción. El año después de la muerte de Karin hablamos muchas veces del milagro del reencuentro. Estaba convencido de que él y Karin se encontrarían en otro lugar, purificados y esclarecidos. Había verdadera alegría en nuestras conversaciones y yo pensaba que Dios era misericordioso al hacer que un anciano se mantuviera tan seguro de su resurrección. No sé, Ingmar. Ahora lloro un poco, pero no es nada de lo que haya que preocuparse. Es solo porque me da mucha pena tu padre, tan buena persona como es. ¿Por qué ha de sufrir tanta devastación en vida? Resulta cruel y yo no le veo el sentido. Lo quiero mucho y quiero hacer todo lo que realmente pueda para que tenga un poco de paz y de alegría durante sus últimos años.

Syster Edit se sonó con un pequeño trompetazo. Decididamente, pertenecía al reducido grupo de personas a las que el llanto embellece. Se limpió la nariz y se quitó las lágrimas de los ojos con la mano. Luego se echó a reír.

—Yo no debo de estar bien de la cabeza tampoco, lloriqueando a la mínima como una cría. ¿Seguro que no quieres una taza de té? Ya son las cuatro. Me parece que quizá debería ir a despertar al pastor, de todas maneras. ¿Tienes prisa? ¡Espera un momento! Me parece que lo oigo. ¡Sí, sí, aquí viene! Antes de que se me olvide, tengo copia de la transferencia que ordenaste, es mejor que te la lleves.

Syster Edit se levantó con la rapidez que emana de la estabilidad y la evidente alegría del ánimo. Los pasos de papá resonaban en el pasillo. Se movía pesadamente con sus botas ortopédicas, apoyado en el bastón. Llamó con los nudillos, Edit dijo «pasa» y papá abrió la puerta. Yo iba a levantarme para acercarme a él, pero me detuve. Se había quedado en el umbral contemplándonos con mirada ausente. Tenía el ralo cabello alborotado, una de las orejas de un rojo oscuro. Iba vestido con su viejo batín verde oscuro que olía a habano y su mano de venas azules se aferraba al bastón.

—Solo quería preguntar si aún no ha llegado Karin —murmuró mirándonos a Edit y a mí sin reconocernos—. ¿No ha vuelto Karin todavía?

Y en ese preciso instante cambió su rostro.

Comprendió con dolorosa violencia dónde se encontraba y lo que la realidad le ofrecía: Karin estaba muerta y él había hecho el ridículo. Sonrió con una sonrisa horrible y se disculpó:

—Perdón, aún no estoy bien despierto. Hola, hijo mío, ¿puedes venir un rato a mi habitación?

Se dio la vuelta y recorrió el oscuro pasillo hacia su cuarto. Edit se quedó de pie con el archivador en las manos.

—¡No es nada! No hay por qué asustarse, Ingmar. Erik cree a veces que Karin está por aquí cerca. Se pone muy triste cuando se da cuenta de su error: por un lado, que Karin está muerta, y, por otro (tal vez lo peor), que se ha puesto en ridículo. Voy un momento a su cuarto. Ven dentro de un cuarto de hora.

Papá se inclina hacia Pu: me parece que te estás durmiendo. ¿Por qué no vas a acostarte? No son más que las cinco. Puedes dormir tres horas por lo menos. Pu sacude la cabeza pero no dice nada: no, gracias, quiero estar aquí sentado viendo salir el sol. Quiero estar aquí con papá. Quiero vigilar a mi padre para que no se largue sin más ni más. Tengo sueño, pero estoy triste. No, no pienso volver a acostarme y a oler los pedos y los estampidos matinales de mi hermano, además, siempre pierdo cuando apostamos. Pu bosteza sin recato y se duerme tan de repente como se apaga una vela tras un soplo. Está sentado con la barbilla contra el pecho y las manos abiertas contra las tablas del banco. Tiene el escaso pelo de la nuca tieso y el sol luce contra su mejilla. Papá está inmóvil contemplando a su hijo. La pipa se ha apagado.

En sueños, Pu va por un bosque que conoce y no conoce. El riachuelo susurra y burbujea. Los rayos del sol se mueven sobre su cabeza. Por donde él va hace sombra, pero el calor es agobiante. Sin quererlo, avanza todo el tiempo. Luego se para y mira alrededor, este es sin duda el lugar del suicidio y no tiene que esperar mucho. El riachuelo murmura, pero por lo demás no se oye nada, las hormigas se afanan en silencio en el hormiguero y por el sendero. Aquí ya no existe la ascendente luz del sol, aquí hay sombra gris y un calor sofocante, aunque haga frío. Pu tiene frío y se encoge. Alguien se mueve al otro lado del abeto doble, puede ver al relojero de espaldas. Está con los hombros desencajados y el escaso cabello colgando sobre su cuello sucio. Se vuelve y contempla a Pu con ojos vacíos y saltones, ojos sin pupilas, la boca abierta y negra de sangre seca, las cejas tan claras que apenas existen, la frente demasiado alta y gris, sembrada de manchas. No quiero, no es verdad, no quiero ver esto, no puedo llorar y no puedo escapar, el relojero me ha robado todas mis fuerzas para aparecerse, lo he oído en algún sitio, a lo mejor fue Lalla: los fantasmas utilizan la energía vital de las personas para poder aparecerse, por eso uno se queda completamente rígido, ahora estoy preso, es como si me fuera a ahogar. Pu dice algo castañeteando los dientes: perdón, en realidad no quería venir aquí pero aquí estoy ahora, de todas maneras. Algo malo me pasa para hacer estas cosas. No puedo acordarme de cómo vine... Pensar que quizás esté soñando. Pensar que todo es tan terrible que a lo mejor estoy soñando y durmiendo y no me despertaré jamás.

La angustia de Pu asciende como un ardiente rayo, todo su cuerpo está lleno de un dolor impetuoso. El relojero tiene la cara vuelta hacia Pu. Una rama oculta parte del fantasma. La figura se mece y balancea aunque la calma es absoluta. Niño de domingo, pues, y Transfiguración de Cristo. Ahora hay que preguntar. Y Pu pregunta una vez y, al no obtener respuesta, pregunta una vez más: *¿Cuándo me voy a morir?* El relojero reflexiona y a Pu le parece oír un murmullo muy impreciso y apagado a causa de la boca ensangrentada y de los rígidos labios: siempre. La respuesta es: *siempre.*

Una suave ráfaga de viento atraviesa el bosque, un grajo grazna en algún lugar. El relojero se mece con el viento y la cabeza se desprende del cuello y de los hombros, se acerca y Pu se pregunta si su último instante está cerca, se pregunta si la cabeza va a incrustarse en sus brazos desnudos o en sus rodillas. La cara tiene una expresión descompuesta y malvada. Pero el viento se torna y disuelve la cara, los ojos cuelgan bajo las ramas del abeto, se apagan, todo el fantasma se apaga, los brazos son absorbidos por la tierra, primero el derecho, las manos se abren y las negras uñas caen como podridas manzanas verdes. El relojero se dobla y Pu ve la roja herida de la cuerda y trozos de huesos que sobresalen del cuello. De repente todo pasa muy deprisa, ya ha desaparecido, ya solo queda el olor, olor a moho como el que se oculta bajo el piso de corcho de la habitación de los chicos.

Con esfuerzo se desprende del sueño y abre mucho los ojos para no dejarse seducir de nuevo por el otro mundo. Papá rellena su pipa. Junto a él está Marianne, acaba de volver del río y de bañarse. El pelo oscuro, corto, está muy pegado a la cabeza, la cara vuelta hacia el sol. Lleva pantalones y una camiseta ligera, el perfil de los pechos se dibuja a través de la tela. Va descalza. Papá dice algo de que van a ser las siete y es hora de afeitarse.

Marianne cuenta que fue muy agradable bañarse allá abajo, junto a la balsa, aunque la madera se había abierto paso a través de las barreras y se había amontonado en el cieno de la playa. Pero fue agradable porque estaba sola y pudo bañarse desnuda. Hacía mucho frío, seguro que no más de doce, trece grados, pero dicen que el río va muy frío este año. Para mí no hay como el archipiélago, dice papá prendiendo la pipa. Ahí no se ahoga uno en cieno.

—¿Va a ir Pu contigo a Grånäs?

—No sé. Se lo he preguntado, pero no parece muy entusiasmado.

—*Yo sí* puedo ir —propone Marianne.

—¿No te quedas a hacerle compañía a Karin?

—Me apetece dar una vuelta en bici.

—Ajá. —Papá asiente con seriedad.

—Contigo.

—Seguro que Pu se alegra de no ir.

—Podíamos ir los tres.

—Pensaba montar las vías entre el retrete y el montón de arena. Y Jonte iba a venir a ayudarlo.

—Bueno, ¿qué te parece? ¿Qué prefieres? —pregunta Marianne.

—Pues sí, estaría bien —dice papá dubitativo.

Pu se despereza y bosteza abiertamente.

—Voy contigo a Grånäs —dice con determinación.

Papá y Marianne miran a Pu con cierto asombro, ah, pero estás despierto, ¡habrase visto! Sí, dice Pu, estoy despierto y ahora voy a acostarme en la cama a terminar de dormir. Pero yo voy contigo a Grånäs. Pu se levanta y trota con los ojos medio cerrados sorteando las esquinas, escaleras arriba, camino de la habitación, y, quitándose la ropa y las sandalias, se desploma en la quejumbrosa cama y hunde la cabeza en la almohada. Se queda profundamente dormido.

Son las ocho menos diez y Maj lo sacude sin contemplaciones. Dag, que ya se ha vestido, ha traído la garrafa de la habitación de mamá y le echa agua a su hermano. Para, grita Pu, y Dag se ríe. Me la pagarás, cabrón, grita Pu defendiéndose. Dag se aparta y le tira una sandalia a su hermano. Maj interviene antes de que el conflicto se convierta en fratricidio.

Pu aún tiene que sufrir otros infortunios. Maj lo obliga a lavarse los dientes, las orejas, y a cortarse y limpiarse las uñas. Además, tiene que ponerse ropa limpia: camiseta limpia que pica, camisa limpia que es demasiado larga y pantalones limpios. Joder, siempre hueles a pis, dice Dag con acritud, ¿no te abres la bragueta cuando meas? Salen del ropero los pantalones de los domingos, pantalones cortos azul oscuro con rayas bien planchadas y con absurdos tirantes. Pu protesta, pero Maj es inexorable y está dispuesta a echar mano de la violencia si fuera necesario. ¡Suénate!, ordena poniendo un pañuelo limpio en la nariz de Pu. No entiendo por qué tienes tantos mocos.

—Es porque Pu anda siempre metiéndose el dedo en la nariz —dice Dag, que está presenciando el humillante atavío—. Si encuentras algo, lo repartimos, ¿eh? —truena Dag escaleras abajo.

Pu se sienta en la cama, una somnolencia pesada como el plomo cae sobre él. Maj sale del ropero. ¿Qué pasa?, pregunta con benevolencia. Tengo ganas de vomitar, murmura Pu. Se te pasará cuando comas, ¡ven Pu!

Las tripas le dan vueltas y se estremecen, un duro chorizo de caca le presiona al final de la tripa, pugnando por salir. Tengo que hacer caca, dice Pu apesadumbrado, es absolutamente necesario. Espera hasta que hayas desayunado, ordena Maj. No puede ser, tengo que hacer caca *ahora,* cuchichea Pu a punto de llorar. ¡Vete corriendo al retrete, anda, corre! Tengo que hacer caca *ahora mismo,* repite Pu. Llévate el cubo, dice Maj, y adelanta de una patada el cubo esmaltado, lleno hasta la mitad de agua sucia. Ayuda a Pu con los tirantes y le baja los pantalones y los calzoncillos. Llegan por los pelos. Me duele tanto, tanto la barriga, se queja Pu. Maj se sienta en el borde de la cama y le agarra la mano. Dentro de unos minutos se te habrá pasado, dice bondadosamente.

Märta grita en la escalera: ¿Está Pu ahí? Es hora de desayunar. ¿Está Pu? ¡Eh! ¡Maj! A Pu le duele la barriga, grita Maj, y sigue asiéndole la mano. Ya bajaremos. Que a Pu le duele la barriga, retransmite Märta a mamá. Están las dos en la escalera. ¿Le duele mucho?, pregunta mamá. No, no mucho, ya acabamos, la tranquiliza Maj. En el comedor se oyen conversaciones y bullicio, tintineo de loza y de cubiertos. Bueno, venís luego, entonces, dice mamá bajando.

Pu tiene la frente sudorosa y está pálido bajo el bronceado. Los ojos se le han hundido mucho en el cráneo y los labios están resecos. Maj le pasa la mano por la frente. En todo caso, fiebre no tienes, en realidad no tienes nada, ¿eh? Caramba, cómo huele, ¿no habrás comido alguna porquería? Pu dice que no con la cabeza y otra ola acuciante de calambres le recorre el cuerpo.

Puta mierda, joder, dice doblándose hacia delante. Mierda. Joder. Puta mierda. ¿Estás preocupado por algo?, pregunta Maj. ¿Qué?, dice Pu con la boca abierta. Por un instante los calambres amainan. ¿Estás *triste* por alguna cosa? No… ¿Estás *inquieto* por algo? No…

El ataque ha remitido, el color vuelve a las mejillas de Pu, que empieza a respirar como siempre. Necesito algo para limpiarme el culo. Podemos arrancar papel de tu cuaderno de dibujo, propone Maj. Aunque va a ser demasiado grueso. Vamos a usar ese papel de seda rojo. No, leche, dice Pu, es el papel de seda de Dag, ahí suele envolver su avión, si lo usamos, me mata. Bueno, dice Maj con resolución, pues usaremos el pañuelo, qué le vamos a hacer. Ya lo lavaré luego. Arriba el culo, Pu. Eso es, así. ¿A que te has quedado a gusto?

En el desayuno, la escenografía es aproximadamente la misma que durante la cena. La única diferencia es una cierta rigidez en el vestuario, porque es domingo, domingo 29 de julio y, como queda dicho, el día de la Transfiguración de Cristo. La mesa no está cubierta por un mantel blanco, sino por un hule estampado en amarillo. Bajo la araña del techo campea un lebrillo de cobre lleno de flores del prado.

Domingo a las ocho de la mañana. En la familia Bergman reinan hábitos carolinos. Los días laborables el desayuno es a las siete y media, y los domingos, media hora más tarde, es como una débil concesión al placer de mamá de quedarse en la cama y levantarse tarde por las mañanas.

Papá, en cambio, es muy madrugador, ya se ha bañado en el río, se ha afeitado y ha leído el sermón. Está casi alegre ante la excursión que le espera. A Pu le han servido un plato de papilla caliente en lugar de las gachas de avena. Aromática y suave papilla y una rebanada de pan blanco con queso. Lalla en persona se ha ocupado de prepararlo. Nadie se atreve a oponerse, aunque las dos autoridades paternas y algunas otras personas consideran que la papilla de Pu es mimo y que todas las formas de mimo originan y fomentan los vicios. Pero nadie se atreve a hacer objeciones a la papilla de Lalla, ni mamá, ni papá, ni ninguna otra persona. Pu engulle y está bastante satisfecho, aunque guarda silencio. El dolor ha desaparecido, dejando paso a un grato adormecimiento. La papilla de

Lalla va llenándole el vacío y calentándole el cuerpo por dentro, porque el dolor de barriga da mucho frío.

La puerta del vestíbulo y la de la escalera exterior están abiertas de par en par. La explanada de arena centellea bajo la intensa luz.

—Hoy va a hacer calor —dice mamá—. No sé si no habrá tormenta.

Todos comentan la propuesta de tormenta. Tía Emma está convencida, la lleva sintiendo en las rodillas hace días, Lalla dice que los yogures de la bodega se han cortado, es la primera vez este verano. Märta afirma que cuesta respirar, tiene coloradas las mejillas y le suda el labio superior, debe de tener fiebre. Papá dice, de buen humor, que una pequeña borrasca no vendría mal y que los labradores necesitan lluvia. Si llueve, pican los peces, dice Dag. ¿Aguantará la lluvia mi pobre hermanito? Y con el miedo que tiene a las tormentas.

Y así sigue la cháchara sin parar. «Mientras hablamos, transcurre la vida», dice Chéjov, y tal vez sea así. La puerta de la escalera se llena de repente con una figura redonda y algo bamboleante. Es el tío Carl con un maletín en la mano. Sonríe azorado. Hombre, Carl, hola, grita papá, pasa, pasa, ven a comer algo y a tomar un trago. ¡Por mi alma que parece como si hubieras vendido la mantequilla y perdido los cuartos! Pasa y siéntate, querido Carl, dice mamá. El tono de su voz no es tan cordial como el de papá. ¿Ha pasado algo para que traigas la maleta? ¿Pongo un servicio?, pregunta Märta, y se incorpora a medias. No, no, gracias, no quiero molestar, murmura Carl secándose el sudor con un pañuelo sucio. ¿Puedo sentarme un momento?

Sin esperar respuesta, recorre el comedor y saluda inclinándose en varias direcciones antes de hundirse en el sofá junto a la ventana. Papá ha sacado una botella y un vaso del aparador: ¡Ten, querido hermano! Carl vacía el vaso de una sentada, los anteojos se le llenan de vaho. Gracias, Erik, muchas gracias, eres en verdad una persona cristiana que se apiada de los más miserables de entre los miserables.

—¿Ha pasado algo? —Mamá repite la pregunta y mira con severidad a su hermano.

Carl limpia sus empañados anteojos y parece inquieto. Se ríe forzadamente.

—¡Pasa y pasa! Todo el tiempo pasan cosas, ¿no es verdad? Hay un tiempo para arrojar piedras y un tiempo para recogerlas, como dicen las Escrituras.

—Pero, evidentemente, piensas irte —dice papá, y parece tan risueño como antes.

—En todo caso, pienso trasladarme.

—¿Trasladarte? ¿Y adónde vas a trasladarte *tú*, si se puede saber? —la voz de mamá tiene ahora un leve matiz de frialdad.

—No lo sé muy bien. Pero lo importante es que pueda guardar la dignidad.

—¡Pero qué ha pasado! —Tercera vez. Mamá parece ahora mucho más preocupada que severa. Carl se pone los anteojos y se vuelve. Todos lo contemplan con interés.

—Creo que voy a hablar con Erik. Lo que tengo que decir no es muy apropiado para niños y bebés.

—Entonces te quedas aquí hoy, descansas y hablamos esta noche —dice papá rápidamente sin consultar con mamá ni siquiera con la mirada—. Ahora tengo un poco de prisa. Pu y yo vamos a ir en bici a Grånäs a predicar. Pero seguro que estamos de vuelta en Våroms para la hora de cenar.

Los ojos azul claro de tío Carl se llenan de lágrimas. Asiente repetidas veces con la cabeza para confirmar el acuerdo.

—¡Eres un hombre cabal, Erik!

Mamá da la señal y todos se levantan y rezan la plegaria: te damos gracias, Señor, por los alimentos que acabamos de tomar, amén. Nos vamos a las nueve menos cuarto en punto, ordena papá mirando su reloj de oro, sujeto al chaleco con una cadena y al que se le da cuerda con una llavecita. Luego se vuelve hacia tío Carl: si quieres quedarte a dormir aquí unas cuantas noches, no creo que haya problema. Nos apretaremos. ¿Verdad, Karin? Pero mamá no contesta, mueve la cabeza y se va a la cocina con la fuente de las gachas.

—¿Quieres ganarte veinticinco céntimos? —pregunta Dag sonriéndole amablemente a Pu.

Tiene la mano derecha a la espalda. Están detrás de la escalera de la cocina, en la que acaba de orinar Pu pese a estar prohibido.

—De buena gana me gano veinticinco céntimos.

—Bueno. Aquí pongo la moneda de veinticinco. —Dag la pone en la escalera. Parece misteriosamente regocijado.

—¿Qué tengo que hacer, pues?

—Tienes que comerte esta lombriz.

—¿Qué?

—Cierra la boca, que pareces tonto.

—¿Que me tengo que comer esa *lombriz?*

Dag sostiene una ondulante lombriz de pescar delante de las narices de Pu.

—*Ni hablar* de comerse una lombriz.

—Bueno, pues te doy cincuenta céntimos.

—*No, no.* ¡Ni hablar!

—¡Sesenta y cinco céntimos, Pu! Es un montón de dinero.

Sudd, el perro de lanas, ha salido a la escalera y se relame tras la comida. Mueve la cola con afectación ante su dios y contempla a Pu, su antagonista, con mirada sarcástica.

¿Por qué quieres que me coma esa lombriz? Es repugnante.

—Los otros me han dicho que tengo que probar tu valor.

—¿Qué? ¿Cómo?

—Eso, que si eres valiente te dejaremos entrar en nuestra alianza secreta y podrás ganar *además* setenta y cinco céntimos.

—Una corona.

—Tú estás loco. ¡Una corona! Entonces tendrías que comerte lo menos un chorizo de la caca de tía Emma.

—¿*Tienes* los setenta y cinco céntimos? —pregunta Pu con suspicacia.

—Aquí los vas a ver, mira. Tres monedas de veinticinco nuevecitas. Toma. Y aquí está la lombriz. Venga.

—Me puedo comer media.

—¿Qué tonterías son *esas*? Te comes toda la lombriz o nada de nada. Justo lo que suponía. Eres un cobarde de mierda que nunca podrá entrar en nuestra alianza, ¿no te parece, Sudd?

Dag se vuelve hacia Sudd, que abre la boca y saca una larga lengua. Sudd se burla, está clarísimo.

—Trae esa jodida lombriz —dice Pu furioso de codicia y de rabia.

Se mete toda la lombriz en la boca y mastica y mastica y mastica. Los ojos se le llenan de lágrimas. Sigue masticando. La lombriz serpentea y se enrosca bajo la lengua, un trozo trata de escapar por la comisura pero Pu la empuja hacia dentro. Y luego traga y traga y traga. El estómago hace una violenta contracción de rechazo que Pu domina.

—Ya me he comido la lombriz —dice Pu.

—Abre la boca para que vea.

Pu abre la boca y su hermano controla, mira bien. Luego dice que ya puede cerrar la boca, no vaya a ser que la lombriz se le salga. A continuación recoge sus tres monedas de veinticinco céntimos y llama a Sudd.

—¡Qué leche estás haciendo! —grita Pu.

Dag se vuelve y mira con pena a su hermano:

—Los chicos y yo pensábamos probar lo tonto que eras. Si eres tan jodidamente tonto que te comes una lombriz de pescar por setenta y cinco céntimos, eres demasiado tonto para entrar en nuestra alianza y, *desde luego*, demasiado tonto para ganar setenta y cinco céntimos.

Pu se lanza contra su hermano pero se lleva un fuerte golpe en la boca del estómago, al tiempo que Sudd le muerde la pernera. A Pu se le corta la respiración y se queda sentado en la escalera de la cocina. Dag y Sudd se alejan charlando. En la explanada se encuentran con Marianne. Pu no puede oír lo que dicen, pero supone que planean algo divertido. Combate a la lombriz y piensa si tendrá que vomitar, tal vez tenga que meterse los dedos en la garganta, pero titubea, no quiere proporcionarle esa satisfacción a su hermano. Por el momento la vida no vale un comino: *¡Lombriz en el estómago y misa solemne en Grånäs!* Pu se derrumba en la escalera, no hay nadie en el mundo que esté tan jodido como yo.

Papá está sentado en el cenador con tío Carl. Fuma su pipa del desayuno y le ofrece a tío Carl un habano después de obsequiarlo con otro trago. Tío Carl habla sin parar y papá sonríe, alentador. ¿Por qué está papá de repente tan amable con tío Carl? Luego papá mira el reloj y probablemente dice que ahora tiene que ponerse en marcha con Pu si no quieren llegar demasiado tarde al mercancías, que precisamente suele ser bastante puntual los domingos. Se levanta y palmea a Carl en el brazo. Mamá sale a la escalera principal y llama a Pu, lleva la maleta verde de papá en la mano. Dag saca la bicicleta y sujeta el equipaje en la parrilla de atrás. La de delante está reservada para Pu. Marianne pone un ramito de campanillas azules en la solapa de la chaqueta de papá. Märta viene corriendo con su cámara de fuelle, le gusta hacer fotos y las hace con frecuencia. Tía Emma ha ido al retrete después del desayuno y baja balanceándose con cuidado por la senda. Lleva un ejemplar del diario *Gefle Dagblad* debajo del brazo. Lalla sale de la cocina con la merienda, que mete en la pequeña maleta mientras deliberan un poco: en la maleta van el cuello duro de papá, una camisa blanca limpia, la sotana y el sermón. ¡Mira que si se rompe la botella de leche y se estropean la sotana y el sermón! Se decide primero colocar la botella de leche en el fondo y la ropa encima, luego se retira la leche: van a tomar café en casa del párroco y papá le ha prometido a Pu un zumo de manzana que comprarán a la vuelta en la tienda.

Ahora Märta va a hacer la fotografía y quiere que salga mamá despidiéndose de papá, pero mamá se defiende, no, gracias, que posen solo los viajeros. Finalmente se hace la foto: papá está algo rígido sosteniendo el alto manillar. Lleva una chaqueta ligera y sombrero. Se ha puesto los pantalones negros de predicar, no caben en la maleta, las perneras están sujetas con pinzas. Una camisa blanca sin cuello y unas botas completan el atavío.

Pu va vestido como se ha descrito anteriormente y lleva un sombrero de lino blanco que le queda un poco grande, descansando en sus orejas de soplillo. La cara queda en sombra. Está ya encaramado en la parrilla de delante. Tiene estiradas sus largas piernas.

Todos se quitan la palabra de la boca y les desean feliz viaje, mamá dice que la abuela retrasa la cena una hora, así que, sencillamente, no *pueden* llegar tarde. Tía Emma dice que va a haber tormenta, seguro que va a haber tormenta.

A lo lejos, más allá de los páramos, asoma una franja negra de nubes sobre las remotas montañas, unas nubecillas blancas estiran sus finos dedos hacia el centro de la bóveda celeste: es el presagio de la tormenta, dice tía Emma. Mamá le da un beso a Pu y le dice por lo menos dos veces que tiene que tener cuidado de no meter el pie en los radios de la rueda de delante. Tío Carl agita el cigarro desde el cenador: ¡Buena pesca de hombres, mi estimado hermano! Dag está junto a Marianne, y Sudd, pegado a Dag. Maj está haciendo la cama en la habitación de mamá en el piso de arriba. Aparta la ancha cortina de encaje de la única ventana que se puede abrir y le grita a Pu diciéndole adiós con la mano. Pu devuelve el gesto con desgana. El vestido veraniego de los domingos de

Maj tiene el escote cuadrado y, cuando se inclina hacia delante, Pu le ve el pecho. El pelo rojizo está recién lavado y sin trenzar, es como un fuego alrededor de su cara pecosa y buena.

El viaje comienza con una vertiginosa cuesta abajo. Papá es un ciclista ducho pero temerario. La pendiente que desciende de la casa dahlbergiana es accidentada y pedregosa, estrecha y, como queda dicho, bastante pronunciada.

Cuando llegan a la carretera, papá empieza a pedalear. Vaya, qué calor, dice quitándose el sombrero y entregándoselo a Pu, ten cuidado con el sombrero.

El mercancías ya está en la estación y la pequeña locomotora de maniobras está atareadísima cambiando de agujas: pesados vagones cargados de troncos para la serrería de Gimån, vagones vacíos para el almacén de flotamiento de Insjön y tres vagones cargados de aromática madera recién cortada que se quedarán en la estación de Dufnäs para ser transportados luego a la obra del nuevo local de la Congregación de Abstinentes. Los tipos de los frenos han bajado de sus estrechas garitas y se pasean por el andén, uno toma una cerveza y come un bocadillo, otro fuma una pipa, el mozo de estación corre entre las agujas del sur allá junto al puente, la pequeña locomotora recula y resopla, dos hombres trabajan duro con los enganches, se oye el ruido de los topes y de los pesados ganchos de hierro. El sol está justo encima del recodo del río.

Papá y Pu entran en el despacho de billetes y saludan al señor Ericsson: vaya, así que el pastor se va de viaje hoy domingo y el hijo lo acompaña. Voy a predicar en Grånäs, explica papá. Entonces tomarán el tren hasta Djurås y luego seguirán en bicicleta, me figuro. El señor Ericsson saca del armario un pequeño billete de cartón. Lo sella en la máquina de sellar. ¿Tengo que facturar la bici?, pregunta papá. No, puede llevarla en el compartimento. Los domingos no hay viajeros hasta Leksand.

La señora Ericsson baja del piso de arriba. Tiene el cuello muy deformado por el bocio y los ojos casi salidos de sus órbitas. Sonríe desdentada y cordialmente. Lleva una taza de café en la mano: pensé que al pastor le podía apetecer una taza, dice la señora Ericsson con su acento de Orsa. Y el pequeño Pu quizá quiera un caramelo. Saca un pegajoso cartucho del bolsillo del delantal y le ofrece un caramelo casero. Pu se inclina y da las gracias. ¿Cómo está usted, señora Ericsson?, pregunta papá dirigiéndose a los ojos desorbitados de la señora Ericsson. Bueno, pues regular. Estuve en el hospital, en Falun, la semana pasada, porque empiezo a tener unos sofocos terribles por las noches. El médico me dijo que debía operarme, quería quitarme un trozo de tiroides, pero no sé, bueno, sentir ahogos es muy desagradable, pero tomo sal de yodo todos los días, aunque no me hace mucho efecto y me parece que cada día estoy peor. Y tengo muy mal aspecto. El verano pasado no se notaba el bocio, pero este invierno se puso así de mal. Empezó cuando tuve la tuberculosis y perdí... Bueno, ya lo sabe usted, pastor, así que no, no estoy muy bien, y los cuartos, allá arriba, se ponen sofocantes y en el dormitorio nos da el sol por la tarde. Algunas noches me bajo un colchón a la sala de espera. Da al norte, y eso siempre hace que esté más fresca. Pero estuvo el inspector y vio el colchón y dijo que de ninguna manera podía dormir en la sala de espera, que estaba prohibido, pero entonces Ericsson dijo que eso a él le tenía sin cuidado y que el inspector podía denunciarnos si quería, pero entonces se largó.

Pu se ha subido a la ventana que da a la explanada de la estación y se interesa más por los esfuerzos de la pequeña locomotora que por el bocio de la señora Ericsson. Chupa el caramelo y sigue con los ojos los dos vagones de madera que han recibido un pequeño empujón de la locomotora y ruedan dócilmente por sí solos a la vía de maniobra más próxima al edificio de la estación. Uno de los hombres ha puesto un tope y los pesados vagones se paran obedientemente, tiran un poco hacia adelante y hacia atrás como si estuvieran vivos.

—Ya han acabado —grita Pu bajándose de la mesa—. ¡Han acabado ahora mismo!

Pu quiere irse, el viaje en tren, corto, ciertamente, da un poco de fiebre. Bueno, pues nos vamos, dice el pastor. El señor Ericsson toma su gorra de uniforme y la bandera roja, en cuyo palo hay una placa redonda de color verde. Si se hace la señal con la placa, significa «listo para la salida». Papá vacía la taza de café hasta los posos y da las gracias y estrecha la mano: hablaré de la enfermedad de la señora Ericsson con un amigo catedrático de Medicina que se llama Forssell. Es posible que él encuentre alguna solución.

—Muchas gracias, pero no tiene que molestarse.

Uno de los guardafrenos ayuda a subir la bicicleta y la maleta al pequeño vagón de viajeros colocado al final del tren. Es un vagón bastante vetusto, de color verde grisáceo y con puertas en los extremos. El decorado es espartano: doce bancos cortos de madera puestos unos enfrente de otros, seis a cada lado del pasillo central. Cada dos bancos hay una escupidera, el piso está cubierto con un gastado suelo de corcho de tonos castaños, en uno de los extremos hay una estufa de hierro. Las ventanitas están abiertas a la mañana veraniega. Del techo cuelgan dos globos de vidrio que contienen lámparas de gas. Todo el vagón huele a madera barnizada y a hierro.

Pu se descuelga por la ventanilla, está excitado, va a ir en tren, dentro de unos segundos el señor Ericsson dará la señal, la locomotora vomitará una nube negra y el vagón se deslizará por las vías. Papá ha encontrado un periódico, es el *Borlänge-Posten,* y se dedica a estudiar los comunicados oficiales: «En la iglesia de Grånäs de la parroquia de Gagnef predicará mañana domingo a las once de la mañana el pastor Erik Bergman, de Estocolmo. Durante la misa se dará la Sagrada Comunión».

Pero el tren no arranca, Pu se estira por la ventana jugándose la vida para averiguar la causa. El señor Ericsson está leyendo unos papeles y el mozo de estación le explica y le señala algo. La locomotora resopla y suspira como si se lamentara del molesto calor y de las inminentes cuestas. La deformada cara de la señora Ericsson se divisa tras la cortina del piso superior del edificio de la estación.

Se oyen voces y Pu se vuelve hacia el otro lado. Ahí llegan a buen paso Marianne, Dag y tío Carl. Llevan cañas de pescar, y Dag, una lata de lombrices con la tapa perforada y asa. Tío Carl lleva una mochila a la espalda, es la merienda.

—Hola —grita Marianne—. ¿Todavía no habéis salido?

—¿Adónde vais? —pregunta papá colocándose junto a Pu en la reducida ventana.

—Vamos al arroyo Kallbäcken a pescar —pregona tío Carl—. Ma estaba al llegar, así que mi hermana Karin recomendó una pequeña excursión. Le pareció que era mejor hablar a solas con Ma. Y lo que es *yo*, no tenía nada en contra.

Finalmente el pequeño mercancías se pone en marcha con pesados chirridos y afanosos resoplidos de humo. Todos dicen adiós con la mano. Pu ve fugazmente que Marianne pone el brazo sobre el hombro de Dag. Él sonríe encantado y despide con impaciencia a su hermano. Van desapareciendo del campo visual, el viento de la velocidad y el acre humo de carbón hacen mella en la cara.

La locomotora silba en la curva que bordea el monte, el vagón se bambolea, las ruedas restallan en las juntas de los raíles. Dejan atrás el río y se adentran en el bosque. La locomotora tira pesadamente, es cuesta arriba, el pequeño vagón de madera cruje y da sacudidas. Siéntate en el banco, dice papá. No te descuelgues así por la ventanilla, es peligroso. Papá agarra a Pu por la cintura del pantalón y lo baja. Padre e hijo quedan sentados frente a frente, papá sigue leyendo su periódico.

—¿Papá?

—Sí. —Dobla el periódico.

—¿*Qué es* historia?

—Es el relato de lo pasado.

—Entonces, la muerte del abuelo es historia.

—Hay diferentes clases de historia. Existe la gran historia de guerras y leyes y pueblos enteros y luego está la pequeña historia, la historia de la vida familiar. De esa manera se puede decir que la muerte del abuelo también es historia.

Papá está sentado con los codos apoyados en los muslos y las manos cruzadas. Mira atentamente a su hijo. Cuando papá habla con alguien, sea quien sea, mira siempre a los ojos de la persona y escucha con atención.

—¿A ti no te gusta estar con nosotros en Dufnäs?

—A mí no me gusta mucho Dufnäs, eso es todo. A mí me gustan mamá y mis hijos, pero no Dufnäs.

—¿Por qué no te gusta Dufnäs, papá?

—Me siento encerrado, no sé si entiendes lo que quiero decir.

—No.

—No puedo decidir lo que quiero.

—¿Es la abuela la que decide?

—Pues, tal vez.

—Entonces, ¿es por eso por lo que papá odia a la abuela?

—¿Odiar?

Papá sonríe un poco con las comisuras y se mira las manos cruzadas.

—Dag dice que papá y la abuela se odian.

—La abuela y yo tenemos opiniones diferentes en un montón de cosas. Bueno, en casi todo. Y por eso nos enfadamos. Tienes que comprenderlo.

—Claro.

—A veces resulta muy difícil. Especialmente en verano. Vivimos tan cerca que se provocan los disgustos con facilidad. Es más fácil en invierno, cuando la abuela vive en Upsala y nosotros en Estocolmo.

—Yo quiero a la abuela.

—Y debes seguir queriéndola. La abuela te quiere a ti y tú quieres a tu abuela. Así debe ser.

—¿Se alegraría papá si la abuela se muriera?

—Eso es ir demasiado lejos. ¿Por qué iba a alegrarme? En primer lugar, sé que tú y mamá y Dag y muchas otras personas os pondríais muy tristes. Y, en segundo lugar, no se piensan esas cosas.

Pu reflexiona. Esto es fatigoso e importante. Además no es muy frecuente que papá tenga tiempo de hablar. Hay que aprovechar la ocasión.

—No —dice Pu preocupado—. Pero yo quiero que un montón de personas se mueran y sean historia. Tía Emma y Dag y…

—Eso es una cosa completamente distinta —interrumpe papá—. Tú no piensas en lo que significa la muerte. Por eso andas a vueltas con esos deseos sin que haya mala intención, en realidad.

—A veces pienso que mamá está muerta y entonces me pongo triste.

—¿Has deseado alguna vez que tu padre esté muerto? ¿Cuando te enfadas, por ejemplo?

Papá sonríe con la boca y con los ojos, la voz no denota peligro. Esta es, pues, una *verdadera* conversación, piensa Pu. Conversaciones o «razonamientos» los suele mantener Pu con su abuela en Upsala, alguna tarde, cuando va a verla en las vacaciones de Navidad. Mamá y papá no tienen nunca tiempo de razonar.

—Yo nunca he deseado que papá estuviera muerto —miente Pu con expresión sincera.

Papá le palmea la mejilla sin dejar de sonreír.

—Perdona, Pu, pero a veces haces unas preguntas muy tontas.

Pu asiente sutilmente y corresponde a la sonrisa de su padre.

El mercancías frena, el estrépito es enorme, fragor, estampidos, estruendo. El bosque se abre bajo la loma y aparecen algunas fincas en las acusadas pendientes. Papá palmea a Pu en la rodilla, ya llegamos, no olvides tu gorro, y ocúpate de mi sombrero.

El tren se detiene en el apeadero de Djurås, se trata de una casilla de guardavías hecha de madera y situada donde la carretera cruza las vías, no hay apartadero ni semáforo, solo un agrietado andén de madera. La guardavías, que es una mujer gorda, sale cojeando de la casilla. Tiene que pasar por la puerta de costado. Saluda con familiaridad al pastor y lo ayuda con la bicicleta y la maleta. El calor es como una pared y se oye el mugido de una vaca en la colina. El maquinista se asoma desde su cabina y se cuadra ligeramente ante padre e hijo. La guardavías da la señal de que todo está en orden y el tren se desliza cuesta abajo hacia Sifferbo, sin echar humo ni resoplar ni traquetear.

—¿Quieren tomar una taza de café? —invita la gorda.

—No, gracias, señora Brogren. Ya vamos con retraso.

—Es una verdadera maldición esto de que yo no pueda ir nunca a la iglesia, pero Olsson está en el hospital y estoy sola para vigilar el puesto, tanto los días laborables como los domingos. ¿Un poco de zumo para su hijo?

—No, gracias —dice Pu educadamente.

—Pues les deseo que tengan buen viaje.

—Gracias, señora Brogren, y saludos al señor Olsson.

—¿Le parece al pastor que es un castigo de Dios?

—¿Por qué va a ser un castigo de Dios?

—Es que como Olsson y yo vivimos en pecado, como dice el director de las misiones. Estuvo aquí el mes pasado para reconvenirnos y al día siguiente Olsson se atravesó el pie con un clavo oxidado, se le envenenó la sangre y tuvo que ir al hospital. ¿No cree usted, pastor, que eso es un castigo de Dios?

Papá sostiene la bicicleta con las dos manos en el manillar. Toda la prisa se la ha llevado el viento, no mira a la señora Brogren, que respira con dificultad y pesadumbre. Mira pensativo al fondo de la pendiente, hacia el río y el incendio de sol en el agua oscura. Luego vuelve la vista hacia la atribulada mujer.

—No —dice papá con firmeza—. Estoy convencido de que el señor Strömberg, director de la misión, se equivoca. Dios no castiga a la señora Brogren y al señor Olsson por una transgresión como esa… en el caso de que sea una transgresión. Dios no es mezquino, es solo una lástima que permita que sus feligreses sean así de tontos y rencorosos. Pero si la señora Brogren se atormenta con esas ideas, lo mejor es que hable con el señor Olsson. Yo los casaré con mucho gusto si así lo deciden. No tienen más que escribirme unas letras. Estoy en Dufnäs. Bueno, ya lo sabe usted.

La mujer gorda asiente varias veces con la cabeza y traga saliva, en ese instante es incapaz de decir nada, solo afirma con la cabeza, sí, hablaré con Olsson. Voy al hospital el jueves, que vendrá uno de Leksand a relevarme.

—Adiós, pues, señora Brogren.

—Adiós, pastor.

Pu se inclina en silencio y se acomoda en la parrilla, papá pone el pie derecho en la pequeña clavija que sale del eje de la rueda de atrás y pone el pie izquierdo sobre el pedal. Eso les da velocidad bajando hacia el río. Pu sostiene el sombrero de papá y separa las piernas, hay que tener cuidado con los pies.

A lo lejos se oye el silbido del tren, fuera de eso, el día estival es todo silencio y quietud. Se respira un intenso olor a vaca y a tomillo. Escuálidos tallos de centeno se cimbrean hacia el borde del camino y rozan las piernas desnudas de Pu.

Pu siente que papá está contento y se pone contento él también. Papá empieza a silbar, luego tararea y termina cantando:

De ricas hojas está llena la rama
y la tierra cubre su negro humus
de hermoso ropaje verde.

La abundancia de bellas flores,
más suntuosas y espléndidas
que Salomón, te hace dichoso.

Papá frena. El camino tuerce violentamente a la derecha, de repente se vuelve arenoso y resbaladizo: aquí tenemos que andar con cuidado si no queremos salir volando por las orejas. Agárrate bien por si me tambaleo. Dame el sombrero, mejor lo llevo en la cabeza para que no me dé una insolación. Pu se agarra con las dos manos al respaldo de la parrilla. Papá pedalea con prudencia. Aquí, de verdad, hay que andar con cuidado, dice Pu resabido. Si volcamos, nos matamos.

Cuando Pu y su padre logran pasar felizmente el tramo peligroso siguen surcando a buena marcha la leve cuesta que hay a lo largo del lecho del río.

Las ruedas silban y crujen, la oscura superficie del agua reluce, la madera flota indolentemente y se amontona fuera de los desagües. Más allá de las colinas, la franja tormentosa ha subido unos dedos. Papá canturrea para sí mismo y le da a los pedales tenazmente. Pu no reconoce la melodía, quizá no es una melodía. Ahora mismo papá está de buen humor, eso es evidente. Pero un viaje con papá es siempre una empresa aventurada. Nunca se sabe cómo va a terminar. A veces el humor es bueno todo el día, pero en ocasiones, sin que se sepa por qué, los demonios se apoderan del pastor y se pone taciturno, lejano e irritable.

—Ahora sí que no te arrepientes de haber venido de excursión, ¿eh, Pu? —pregunta papá interrumpiendo su canturreo y palmeándole el gorro.

—No —miente Pu, y piensa con nostalgia en sus trenes y sus vías y en el ferrocarril que iba a tender en la senda desde el retrete hasta el abedul talado. Trazaría un camino cuesta abajo y se podría acoplar una serie de vagones de pasajeros y dejarlos solos, llegarían hasta abajo, hasta las agujas, y representarían el tren eléctrico de Djursholm.

Junto al embarcadero del transbordador esperan ya algunos carros con feligreses que saludan a papá. Papá levanta el sombrero y devuelve el saludo. También aguarda un viejo cargado de espaldas con gorro de piel y una vaca sucia con los costados llenos de estiércol. Ambos huelen mal y están rodeados de grandes moscas azules, pero no parece importarles. Unos chicos pasean descalzos por la orilla del agua. Van camino de Djuptjärn, a bañarse y pescar percas.

Sobre el río se han tensado cables de acero. El transbordador, que está sujeto a los cables con argollas y ruedas corredizas oxidadas, se maniobra manualmente. Los viajeros varones agarran los cables con instrumentos de madera embreada. De ese modo, hacen avanzar la embarcación, de fondo plano, de una orilla a otra, sobre la oscura y justo aquí cortada corriente del cauce del río, por el que descienden algunos troncos flotantes que golpean sordamente en los flancos del transbordador.

Papá entabla conversación de inmediato con las dos mujeres de la calesa: la más joven va vestida con el traje regional, la mayor está de luto y se le ve una palidez gris bajo la piel tostada. Está sentada en silencio con la vista posada en sus manos llenas de manchas. Es la joven la que habla con un acento vivaz que suena como cuesta arriba y cuesta abajo. Papá asiente y escucha: ah, ¿así que fue tan rápido? No lo esperaban, ¿verdad? No, era tan dispuesto, había participado en la cosecha de heno y se iba a ir a un concurso de tiro, sí, fue el domingo pasado. Y cuando subió mi madre con el café estaba allí acostado con la cabeza vuelta hacia un lado y los ojos cerrados, así que mi madre pensó que se había vuelto a dormir. Pero ya estaba muerto.

Pu se sienta en el suelo de tablas, delante del todo. Se quita las sandalias y hunde los pies en el agua, que incluso ahora, en pleno verano, está helada. El agua le lame las piernas y los pies.

Cuando el transbordador zarpa del bamboleante pantalán, papá deja a las dos mujeres de la calesa y agarra un madero embreado, lo sujeta al cable de acero y ayuda a los otros hombres a arrastrar el transbordador por la corriente y entre los troncos.

Pu se descuelga un poco más por el borde delantero del transbordador y deja que el agua refresque las picaduras de mosquito que tiene en las corvas. De repente, alguien lo ase por los hombros y tira de él hacia atrás, un fuerte bofetón y otro bofetón más. Papá está fuera de sí: ¡Sabes que te lo he prohibido! ¿No comprendes que puedes ser arrastrado bajo el transbordador sin que nadie se dé cuenta de que has desaparecido? Y restalla otro bofetón, en total, tres bofetones. Pu tiene los ojos clavados en su padre, no llora, y menos delante de personas extrañas. No llora, pero odia profundamente: este maldito cabrón, que siempre tiene que pegar, voy a matarlo, cuando llegue a casa voy a pensar la manera más dolorosa de matarlo, va a tener que implorar compasión.

Los troncos entrechocan, el agua susurra, el sol calienta, escuece en el interior de la cabeza y en los ojos. Pu se pone aparte pero a la vista. Las mujeres de la calesa han visto la escena, mueven la cabeza hablando en voz baja, es la joven la que habla. Pu no oye lo que dicen, las ve de espaldas, se ha colocado en la parte trasera, en la popa. Papá se ha quitado la chaqueta y se remanga la camisa. Lleva el sombrero en la nuca.

Otra mirada retrospectiva en el futuro.

—¿Qué es lo que he hecho mal?

Papá está sentado en su escritorio, yo, en un gastado sillón de piel un poco más adentro de la habitación. Tras la ventana hace un día invernal intensamente gris, sin sombra, con nieve en los tejados y nieve en el aire. Papá vuelve la cabeza hacia mí, el oscuro contorno se perfila contra el limpio rectángulo de la ventana. Distingo con dificultad los rasgos de su cara, pero oigo bien su voz.

—¿Qué es lo que he hecho mal?

La misma pregunta una vez más y yo no sé qué contestar. Sobre la mesa escritorio está uno de los diarios de mamá.

—He abierto la otra caja fuerte de mamá y encontré más diarios. Imagínate, Karin escribió diarios desde el mes de marzo de 1913, cuando nos casamos, hasta dos días antes de morir. Cada día.

—¿No sabías que mamá escribía un diario?

—Le pregunté en alguna ocasión y entonces me dijo que solía hacer algunas anotaciones sobre lo que había pasado, pero no que…

Papá mueve la cabeza y hojea un poco el libro abierto de tapas castañas: *cada día.*

—Trato de leer y entender lo que pone. Mamá escribe con una letra muy pequeña. Tengo que usar lupa.

Papá alcanza una lupa como disculpándose: cada día, letra microscópica, claves.

—La letra de mamá era clara y fácil de leer. Pero esta es otra letra. Y además usa abreviaturas tanto para palabras como para nombres. Y a veces hay una especie de palabras en clave que son completamente imposibles de entender.

Papá suspira hondo y me tiende el libro, yo me levanto y lo sujeto entre las manos. Año 1927: mamá hospitalizada, una intervención quirúrgica, le quitan la matriz y los ovarios. Tres meses. Preocupación por el hogar y los hijos. Papá la visita todos los días: «No puedo decirle que no venga, me cansa tanto su ansiedad. Como si yo tuviera que tener remordimientos por el hecho de estar aquí».

Leo despacio y con ayuda de la lupa, cierro el libro y vuelvo a ponerlo sobre la mesa.

—Leo y leo. Poco a poco me voy dando cuenta de que nunca conocí a la mujer con la que viví más de cincuenta años.

Papá vuelve la cabeza y mira los tejados blancos y la nieve que cae. Suena el reloj de la iglesia de Hedvig Eleonora a lo lejos. La nuca de papá es alta y estrecha; el pelo, ralo. No sé nada, dice.

—Karin habla de un fracaso. Un fracaso vital. ¿Tú puedes entender eso? Aquí escribe: «De pronto, un día, leí una expresión en un libro. La expresión era "fracaso vital". Me quedé sin aliento y pensé que *fracaso vital* era la expresión exacta».

—Mamá a veces era muy teatral —relativizo yo.

—Y entonces me pregunto —dice papá despacio y de forma casi inaudible—. Entonces me pregunto qué es lo que he hecho mal.

—Pero tú y mamá hablabais entre vosotros, ¿no?

—Sí, claro. Claro que hablábamos. Es decir, Karin hablaba. Porque ¿qué iba a decir yo? Karin tenía muchas ideas de cómo debíamos cambiar nuestra vida. Quería que contestara a sus preguntas, pero ¿qué iba a contestar yo? Karin decía que yo era perezoso. No perezoso en mi trabajo, pero perezoso, bueno, ya me entiendes.

Papá vuelve la cara hacia mí, no puedo ver su expresión porque la luz de la ventana es muy intensa, pero la voz suplica: di algo que explique esto, algo a lo que pueda atenerme.

—Esta noche he soñado que Karin y yo caminábamos por la calle, aquí abajo. Íbamos de la mano, como hacíamos a veces. Junto al borde de la acera se abría un abismo y en el fondo, agua brillante y opaca. De repente, Karin soltó mi mano y se precipitó en el abismo.

—A veces puedo figurarme que mamá está cerca de mí —digo yo con vacilación—. Me doy cuenta de que debe de ser una especie de añoranza y nada más, pero así es.

—Sí —dice papá—, así es. Primero se descubre que... No, no sé. No puedo resolver esto. ¿Qué es lo que he hecho mal?

—¿Cómo voy a saberlo *yo*?

—Es como si yo hubiera vivido una vida completamente diferente de la de Karin. Yo nunca le he pedido cuentas a Dios. Siempre he pensado que mi vida resultó así y que no hay nada que hacer. Acaso he sido como un perro dócil. Como Sudd.

Papá sonríe afligido. El espíritu de Sudd se desliza por la alfombra, pone el hocico en la mano de papá y contempla a su más amado dueño con ojos tristes.

—Mamá era más inteligente que yo. Leía mucho y viajaba al extranjero y... Yo he vivido sobre todo de mis sentimientos y de mi inspiración. Aunque ahora me he quedado en la indigencia. No quiero lamentarme, no creas que me lamento, pero cuando me siento aquí y trato de descifrar los diarios de mamá...

—¿Crees que mamá tenía la intención de que leyeras los diarios?

—No estoy seguro. Hicimos una especie de pacto por el cual yo iba a morirme primero. Una especie de broma, ¿sabes? Era yo sobre todo el que... Pero era algo evidente. Y cuando tuve el tumor en el esófago la cosa estaba clara, *yo* por lo menos pensé que estaba clara.

—Lo más grave debía de ser que teníamos tanto miedo.

—¿Miedo?

Papá me mira sinceramente confundido, como si fuera la primera vez que oye esa palabra.

—¿Miedo?

—Teníamos miedo de que te enfadaras. Ocurría siempre tan de repente y a veces no entendíamos por qué nos reñías y nos pegabas.

—Estás exagerando, seguro.

—Me has preguntado y estoy tratando de dar una respuesta.

—Pero si yo era muy indulgente.

—No, no. Teníamos miedo de tus accesos de cólera. No solo nosotros, tus hijos.

—¿Quieres decir que mamá...? ¿Que Karin tenía...?

—Yo creo que mamá tenía miedo, pero de otra manera. Aprendimos a escurrir el bulto, a mentir. Aunque tengo que decir que me da un poco de vergüenza hablar de eso ahora… Dos señores mayores. Da un poco de risa también.

—Pero mamá verdaderamente no era de las que se callan.

—Mamá intercedía y se ponía en medio. Por ejemplo, tú siempre estabas furioso con Dag. Me acuerdo de cuánto le pegabas. Con la paleta de sacudir las alfombras. En la carne desnuda. Que sangraba y se escamaba. Y mamá mirando.

—Me estás reprochando…

—No, yo no reprocho. Ya te digo que esta conversación me parece cómica. Pero me has preguntado y te contesto. Te teníamos un miedo *horrible*, para expresarlo dramáticamente.

—Recuerdo que Karin decía…

—¿Qué decía mamá?

—Mamá decía a veces, cuando se enfadaba, que yo era «estricto». Lo pone en varios lugares en el diario: «Erik es intransigente. Erik nunca puede perdonar ni hacer la vista gorda, por muy pastor que sea. Erik se conoce muy poco a sí mismo».

Papá se ha apagado y se recuesta sobre el escritorio. Apoya la mejilla en la mano.

—Pues ya he recibido mi castigo, ¿no?

—¿Castigo?

—¿No te parece suficiente castigo estar sentado en esta mesa día tras día leyendo los diarios de mamá? Se enzarza incluso con mis sermones.

Papá sonríe con sarcasmo:

—Así que tú y tus hermanos debéis estar satisfechos. Hay quien piensa que el infierno está aquí, en la tierra. Ahora me inclino a darles la razón. No, no, no. Pero ¿ya te vas?

El transbordador atraca silenciosamente, el agua remoja los tablones, el pontón oscila, los carruajes toman tierra. Papá se despide de la madre y la hija que van en la calesa, los muchachos que van a pescar a Djuptjärn agarran sus cañas y le dicen adiós a Pu, que se queda moqueando: seguramente han visto que Pu, además de cobrar, va camino de la misa solemne de Grånäs. El hombre de la vaca sucia se aleja trotando por la cuesta.

—¡Anda, ven, tonto! —Papá adopta su voz amable.

Pu mira hacia otro lado, resulta tentador llorar cuando papá parece amable. Se acerca y palmea la espalda de Pu.

—Supongo que comprendes que me asusté, podías haberte ahogado sin que nadie se diera cuenta de nada.

Lo empuja ligeramente de nuevo. El padre está detrás de su hijo con la bicicleta apoyada en la cadera.

El encargado del transbordador ha empezado a dejar subir a bordo a los pasajeros que regresan. Papá tiende su mano al tiempo que pone la bicicleta contra la valla de seguridad. Toma asiento en un barril puesto boca abajo y atrae hacia sí a Pu.

—Es que me asusté, ¿sabes? Cuando uno se asusta, se enfada, ya lo sabes. Te di muy fuerte, me salió así, no me dio tiempo a pensar. Y lo siento. Recibiste más de lo que merecías y eso no está bien.

Papá mira expectante a Pu, ahora le toca a él. Pu no quiere mirar a su padre y se traga las lágrimas, mierda puta, cuando papá se pone así de amable uno solo tiene ganas de llorar y eso es, mierda puta, una cabronada. Por eso no hace más que asentir con la cabeza: claro que lo entiendo.

—Venga, pues, vámonos —dice papá, y le da un azotito en el trasero a Pu.

Se despide del hombre del transbordador y arrastra la bicicleta por los resbaladizos tablones y el muelle del pontón. En las someras aguas de la orilla se escabulle un banco de pequeños albures. Saltan todos al mismo tiempo y la superficie del agua centellea. Pu se desliza descalzo, papá ata las sandalias en la parrilla trasera y aprieta la correa en torno a la maleta.

La pendiente desde el embarcadero es pronunciada. Pu ayuda a empujar la bicicleta. En la cumbre el calor se eleva como un muro, salen a campo abierto y la arenosa carretera se extiende recta y estrecha hacia el oeste. El fino polvo se arremolina en fugaces ráfagas de viento que no refrescan. Los pantalones negros de papá, sujetos por abajo con brillantes pinzas de bicicleta, están grises de polvo. Las altas botas negras también están cubiertas de polvo.

Papá y Pu llegan a la iglesia de Grånäs justo cuando dan las diez. El cementerio es sombrío, unas cuantas mujeres enlutadas riegan las flores de las sepulturas, limpian y rastrillan. Bajo el pórtico hace un poco de fresco. El sacristán, después de tañer la campana, conduce a papá a la sacristía. En un armario están la palangana, la jarra, el jabón y la toalla, papá se desnuda de medio cuerpo para arriba y se lava. Luego abre la maleta y saca la camisa blanca limpia, el alzacuellos, los puños almidonados y la sotana. El sacristán pone orden alrededor:

—Cuando suba usted al púlpito no se olvide de darle la vuelta al reloj de arena: es una vieja costumbre de esta iglesia. También solemos rezar por los difuntos *antes* del toque de ánimas, yo espero a que diga usted amén para poner en marcha la campana grande, tarda unos segundos porque es un poco lenta. Ah, el párroco dijo que vendría a saludarlo y a darle la bienvenida, pero que podría retrasarse un poco porque tenía un servicio con comunión arriba, en Utby. En todo caso, quería recordarle que se servirá el café en la casa rectoral, después de la misa solemne. Ahora quería pedirle a usted los salmos, así el chico me ayuda a colgarlos. Toco las campanas a las once menos diez y entonces suele empezar a entrar la gente. Mientras, prefieren quedarse en el atrio charlando un poco.

Papá ha escrito en dos papelitos los cinco salmos con el número de versos, uno de ellos es para el sacristán y el otro para el organista. El viejo señor llama a Pu y lo toma de la mano. Papá se ha sentado en la gran mesa de roble que está en medio de la sala y se inclina sobre su sermón pulcramente escrito. Ahora no hay que molestar al pastor, cuchichea el sacristán, y arrastra a Pu a la iglesia con él. ¿Sabes las cifras?, pregunta el viejo abriendo el armario negro en el que cuelgan números de bronce debidamente alineados.

El sacristán está subido a una pequeña escalera y le dice las cifras a Pu, que las saca del armario y se las da para que las cuelgue en las pizarras de marco dorado que están a derecha e izquierda del coro. Entablar conversación es impensable. La misión es importante: una cifra equivocada sería una catástrofe.

Una vez concluido el trabajo, Pu deja la fresca iglesia y sale al calor del exterior, un poco atenuado por los sombríos y frondosos olmos. La bóveda celeste está blanca, sin una nube, profunda, pesada. Algunos moscardones, un mosquito en el brazo, una vaca que muge al otro lado del muro de piedra. Unos cuantos feligreses con negras ropas de domingo caminan sobre la cuidada gravilla de las sendas, hablando en voz baja. Pu se retira sin prisas hacia una pequeña y cuadrada construcción de piedra junto al ángulo norte del cementerio. La pesada puerta embreada está abierta de par en par. No se ve a nadie. Pu sabe muy bien qué clase de casa es esta, pero no puede frenarse. Entra con rapidez y se detiene al otro lado de la puerta: suelo de piedra, paredes de tosca albañilería y techo de madera, sostenido por gruesas vigas, ventanas bajas, opacas. Junto a la pared corta, un sencillo altar con una cruz de madera pintada de negro y candelabros de estaño, una biblia abierta. A lo largo de la pared de la derecha, estantes. En los estantes hay cuatro ataúdes de diferentes tamaños y modelos. En mitad del suelo, un catafalco. Sobre el catafalco, un ataúd blanco, abierto, con la tapa apoyada junto a la puerta. En el ataúd, una mujer joven. La cara es delgada y gris, rodean sus ojos cerrados sombras oscuras, la nariz se eleva afilada, bajo el mentón un libro de salmos, sobre los párpados dos monedas de plata. Las manos, las largas manos escuálidas, sostienen un libro de salmos, un pañuelo de encaje y un clavel blanco. Unas moscas atontadas se golpean nerviosamente contra la cara destapada y luego contra la blanca opacidad de la ventana. Por la nariz y la piel penetra un olor algo dulzón a flores marchitas que se adhiere durante horas. Pu está allí largo tiempo. Una mosca se posa en sus labios y él la golpea presa del pánico.

Ahora se oyen voces y pasos por el camino de arena. Dos hombres trajeados de negro y con pañuelos blancos al cuello entran y apartan un poco a Pu, pero sin hacerle caso. Hay que atornillar la tapa del ataúd, recoger las flores. Se corre una cortina sucia delante de los estantes de los ataúdes, se encienden las velas del altar. Se abre la puerta de par en par y los asistentes al entierro se reúnen para una breve despedida antes de la misa solemne.

—Ah, ahí está Pu —grita la esposa del párroco saludando con la mano.

Tiene una gran barriga que proyecta hacia delante. Debería llevar una pequeña rueda debajo para sostenerla. El traje de flores estampadas le queda ceñido, tiene manchas hepáticas en la cara y en el moreno cuello. Trae de la mano a su hijo.

—¡Hola, querido Pu! Acabo de saludar a tu papá. Dijo que debías de andar por algún sitio. Bueno, este es mi hijo y tiene exactamente los mismos años que tú. Acabas de cumplir ocho años, ¿no? Konrad los cumplirá la semana próxima. Ven, Konrad, saluda a Pu como es debido.

Konrad es más bajo que Pu, pero ancho de hombros. También le sobresale la barriga, pero no como a su madre. El pelo es amarillo paja y los ojos de un azul claro con pestañas blancas. Las manos y la frente están envueltas en vendas manchadas de sangre. Todo Konrad huele a ácido fénico. Ambos muchachos se saludan sin el menor entusiasmo. La señora dice alegremente que después de la misa Pu y Konrad irán a jugar, tomarán bollos y zumo y, por supuesto, no tendrán que asistir al café rectoral, porque puede resultar muy pesado para dos pequeños saltabardales.

Antes de que Pu haya tenido tiempo de calmarse, empiezan a tocar las campanas y la señora lo toma de una mano y a Konrad de la otra y entra columpiándose en la iglesia hasta el banco rectoral en primera fila.

Tengo que orinar, dice Pu azorado, date prisa, le exhorta la señora dejándole paso, no es fácil pasar por delante de su enorme barriga. Pu corre alrededor de la iglesia hacia la parte norte.

Cuando se ha aliviado mira el entorno. No hay más que unas pocas lápidas, llenas de maleza y torcidas. Pu sabe por qué: el juicio final vendrá por el norte y derribará la pared norte de la iglesia. Por esa razón, en esa parte solo se entierra a suicidas y malhechores. No importa mucho su resurrección. Bien pueden cargar con el muro de la iglesia, de cualquier manera van a ir al infierno.

El tañido se ha extinguido y el organista pedalea el salmo inicial. Pu avanza disimulada y tímidamente por el pasillo central. El sacristán abre la puerta de la sacristía. Sale papá con sotana y con una casulla de seda negra que se agranda al andar. Pu espera que su padre no lo vea, pero es una esperanza vana, papá lo ve todo y ahora ve a Pu y alza las cejas al mismo tiempo que sonríe levemente. Somos amigos, piensa Pu. Ese hombre grande vestido de negro es realmente *mi padre.* Todas estas personas —no tantas— esperan que papá les hable y tal vez las reprenda. Pu se aprieta y se pone junto a la esposa del párroco.

Papá está junto al altar, de espaldas a los congregados, luego se vuelve y canta: santo, santo, santo es el señor de Sabaot. Llenos están los cielos y la tierra de su gloria.

Pu cae en un amodorramiento, encajonado entre la pared y la embarazada esposa del párroco. Le da igual, la misa solemne es tan aburrida que es casi incomprensible. Mira en derredor, lo que le rodea es lo que lo mantiene despierto: retablo, ventanas pintadas, imágenes en las paredes, Jesús con los ladrones, ensangrentado y sufriente. María, apoyada en Juan: «Ahí tienes a tu hijo, ahí tienes a tu madre». María Magdalena, esa era la pecadora, ¿habrían jodido Jesús y ella? En la cúpula izquierda del techo de la iglesia está el Caballero, larguirucho y cargado de espaldas. Juega al ajedrez con la Muerte: «He estado mucho tiempo a tu espalda».

En las proximidades, la Muerte corta el Árbol de la Vida, un cómico aterrorizado se retuerce las manos en la copa: «¿No hay reglas especiales para actores?». La Muerte encabeza la danza hacia las Tinieblas, porta una guadaña como bandera y en una larga fila todos la siguen bailando, mientras el cómico se escabulle en la cola. Los demonios tienen el fuego encendido, los pecadores caen de cabeza en las ollas, Adán y Eva han descubierto su desnudez, el ojo enorme de Dios mira de soslayo tras el Árbol Prohibido y la Serpiente se retuerce de alegría malsana. Los flagelantes desfilan por encima de las ventanas del sur, agitan sus flagelos y gritan de contrición.

Pu ha debido de dormirse unos segundos, porque papá está de pronto en el púlpito. Lee en el Evangelio el pasaje de la Transfiguración de Cristo: «... y Jesús los llevó aparte, sobre un alto monte. Y se transfiguró delante de ellos: resplandeció su rostro como el sol, y sus vestidos se hicieron blancos como la luz. Y he ahí que se les aparecieron Moisés y Elías, que hablaban con Él. Entonces Pedro habló y dijo a Jesús: "Señor, bueno es que nos quedemos aquí. Si quieres, levantaré aquí tres tiendas, una para Ti, una para Moisés y otra para Elías". No había terminado de hablar cuando una nube luminosa vino a cubrirlos, y una voz se hizo oír desde la nube, que dijo: "Este es mi Hijo, el Amado, en quien me complazco; escuchadlo a Él". Y los discípulos, al oírla, se prosternaron, rostro en tierra, poseídos de temor grande. Mas Jesús se aproximó a ellos, los tocó y les dijo: "Levantaos; no tengáis miedo"».

Pu no puede contener su fantasía, le estalla en una nítida imagen: el escenario es el cerro de Dufnäs, en lo más alto de la cresta, con vistas sobre el pueblo, el río, los páramos y las colinas. Pu está de pie sobre una piedra, no, flota unos centímetros por encima de ella, las sandalias no rozan el musgo. Va vestido con la camisa de dormir de papá, le llega hasta los tobillos y su cara brilla como una bombilla. Detrás de él hay una nube de tormenta, redonda y de un azul casi negro, una voz retumba a través del espacio, es igual que la voz de papá y grita: «Este es mi Hijo, el Amado, en quien me complazco; escuchadlo a Él». La tormenta descarga y la luz blanca se apaga, Dag y los hermanos Frykholm caen a tierra y se tapan la cara con las manos. Pu se acerca a ellos y habla dulcemente: «Levantaos; no tengáis miedo».

Después de la misa solemne se sirve el café en casa del párroco. A la reunión asisten el sacristán, su asmática esposa y algunos miembros de la asociación de costura de Grånäs. Konrad y Pu se sientan en una mesa aparte para niños en la que hay zumo de grosella y bollos. El párroco, que es regordete y vivaz y tiene dentadura postiza y gafas de gruesos cristales, se inclina sobre los chicos y les autoriza a abandonar la reunión eclesiástica.

—Tengo un eczema —dice Konrad a título informativo—. Tengo un eczema en las manos y en el cuero cabelludo. Me pica constantemente, pero es peor en verano.

Konrad cierra la puerta de su habitación y contempla a Pu con gesto conminatorio: ¿Qué dices *ahora,* eh?

La habitación está decorada como una capilla. Las ventanas están recubiertas de papel de seda de colores, junto a la pared corta hay un altar con un candelabro de bronce de siete brazos y una Biblia abierta. Sobre el altar cuelga un recorte coloreado de alguna revista cristiana enmarcado con molduras doradas. Unas cuantas sillas desparejadas están puestas en fila en mitad del cuarto. En una esquina se agazapa un armonio con partituras y libros de salmos. En las paredes hay planchas con motivos bíblicos. Huele a ácido fénico y a moscas muertas.

—¿Qué te parece? —urge Konrad.

—¿Se puede abrir la ventana? Huele que apesta.

—No, no se puede porque se rompe el papel de seda. ¿Predico o hacemos un entierro? Tengo un ataúd en el armario.

Konrad abre la puerta de un cuchitril lleno de todo tipo de chismes, en el que se guarda también un ataúd blanco de niño con tapa.

—No, gracias —dice Pu cortésmente—. No quiero jugar a misas ni a entierros. Es que no creo en Dios.

—¿Que no crees en *Dios*? Entonces es que eres idiota.

—Dios es un dios de pis y de mierda si se piensa en la que ha armado. El idiota eres tú.

—¿Te atreves a decir que soy idiota?

—A todos los que creen en Dios les falta un tornillo, a ti, a mi padre y a todos los demás.

—¡Cierra el pico y no digas eso!

—Cierra el pico tú.

Pu y Konrad empiezan a darse empujones, luego se escupen, Konrad le pega a Pu en el pecho. Pu responde con un bofetón que le descompone el vendaje de la cabeza. La pelea se intensifica. Pu se da cuenta rápidamente de que Konrad es más fuerte y se deja tirar, pero Konrad no está satisfecho. Se sienta a horcajadas encima de Pu y babea, no escupe exactamente, pero babea.

—Me rindo —dice Pu.

En Dufnäs esta es la señal de reconocimiento del ganador y de la interrupción de las hostilidades. En Grånäs esa regla no vale. Konrad sigue sentado y empieza a retorcerle el brazo a Pu:

—Confiesa que crees en Dios —dice Konrad.

—¡Que me haces daño! —se queja Pu—. Suéltame. ¡Suelta!

Konrad no suelta:

—Confiesa que crees en Dios.

—No.

—Confiesa.

—No.

—Pues te retorceré el brazo hasta que confieses.

—Ay. ¡Ay, la puta!

—Confiesa, pues.

—¡Ay! ¡Confieso!

—Jura por la cruz que crees en Dios.

—Juro por la cruz que creo en Dios.

Konrad se levanta en el acto, se sube el vendaje y se rasca violentamente. Pu se sienta, le sangra un poco la nariz, solo unas gotas.

—Además, está científicamente demostrado que Dios existe —predica Konrad—. Un ruso que se llama Einstein dice que ha entrevisto a Dios en sus fórmulas matemáticas. ¿Qué te parece?

Pero Pu se abstiene de contestar. Decide despreciar a su adversario guardando un altivo silencio. Los contrincantes, mohínos, se sientan cada uno en un rincón. Pu encuentra un número de la revista *Allers Familjejournal* y se engolfa en la historieta de Willy y Dick en la jungla. Konrad se rasca su eczema y se mete el dedo en la nariz, lo que encuentra se lo mete en la boca.

La despedida está impregnada de la cordialidad que da el alivio de abandonar una compañía aburrida. La libertad ilusiona y un suave regocijo oxigena la sangre hasta las más pequeñas ramificaciones de los vasos sanguíneos. Papá estrecha manos y está amabilísimo. El párroco sostiene la bicicleta y su esposa ayuda a atar la maleta. ¡Gracias por su hermoso y revelador sermón! Gracias por el rico café y la buena compañía. ¡Vengan a vernos a Dufnäs, nos alegraríamos mucho Karin y yo! Deberían quedarse a cenar. Parece que se va a estropear el tiempo. No, muchas gracias, hemos prometido estar en casa antes de las cuatro y tenemos que tomar el tren en Djurås. Sí, pero la tormenta. ¡Puede caer un buen chaparrón después de tanta sequía! Un chubasco puede ser muy refrescante. Y nosotros no nos derretimos, ¿verdad, Pu? ¿Qué?, dice Pu abriendo la boca, no estaba escuchando, sino pensando en la manera de machacar a Konrad, pero no se le ocurre nada. Bueno, nos vamos. Adiós. Adiós. Dile adiós a Pu, indica la esposa del párroco a su malencarado hijo. Adiós, pues, Konrad. Si crees que existe Dios es que eres tonto de remate, cuchichea Pu trepando rápidamente a la parrilla delantera.

Emprenden la marcha por la alameda rectoral. El párroco y su esposa dicen adiós con la mano. Ella agarra la mano derecha de Konrad y lo obliga a hacerlo también. Papá levanta la mano pero no se vuelve. Silba y Pu separa las piernas, van a buena velocidad por la suave pendiente.

—Ahora vamos a comprar una botella de zumo de manzana en la tienda y luego nos bañaremos en el lago Svartsjön y tomaremos la merienda. Tendrás hambre, ¿no?

—Tuve mucho cuidado de no comer los asquerosos bollos de esa señora —dice Pu—. Pensaba todo el tiempo en el zumo y en la merienda.

—Hiciste muy bien. —Papá da unas palmadas a su hijo por encima del sombrero de lino.

La tienda es un ruinoso edificio de dos plantas. Las paredes están cubiertas de anuncios de Oso Blanco («Lava mientras usted duerme»), de caramelos pectorales Augustsson, de cacao Ojos (dos ojos que escudriñan enajenados), de la revista *Pasatiempos* (un viejo riéndose con dentadura postiza) y, naturalmente, del detergente Mago y del zumo de manzana Pommac.

Papá llama con los nudillos a la puerta exterior, provista de una ventana que tiene una persiana blanca bajada en la que pone «cerrado». Después de una cierta espera se oyen ruidos y pasos que se arrastran, se levanta la persiana y el jorobado de Notre-Dame muestra su deformado rostro. Cuando la espantosa aparición reconoce a papá, su faz se retuerce en una sonrisa acogedora, gira la llave y se abre la puerta.

Se intercambian las habituales frases de saludo. El tendero desaparece renqueando y brincando tras el mostrador y abre el cajón del hielo que está en el almacén. Saca dos botellas humeantes de zumo de manzana y las coloca en el mostrador. Papá le pregunta cómo está.

El viejo se rasca la escasa barba y dice que va a haber tormenta, viene sintiéndolo desde hace días.

—La única ventaja de mi espalda es que adivina el tiempo, ¿sabe usted, pastor?

Apoya en el mostrador las palmas de las manos, cubiertas de cicatrices, las uñas se curvan sobre las yemas de los dedos y son de un amarillo oscuro. A pesar de los aromas a salazón de arenque, especias y cuero que hay en la tienda, la fetidez del aliento del comerciante flota como una estridente nota de flauta por encima del sereno acorde de los otros olores.

—A lo mejor el chico quiere un cucurucho de caramelos —propone el hombre.

—No sé, no sé —dice papá mirando a Pu—. Su madre le ha prohibido las golosinas, estropean los dientes. Aunque, claro, un cucurucho pequeño…

El viejo levanta la mugrienta gorra y la agita en un círculo: enseguida, enseguida. Saca un recipiente de vidrio con caramelos de vivos colores y hábilmente forma un cucurucho con el papel de envolver. Inclina el tarro de vidrio hacia Pu y lo destapa. Aquí tiene, llene el cucurucho usted mismo, joven Bergman. Basta, muchas gracias, dice papá. Es demasiado. ¿Cuánto es todo? Cincuenta céntimos por los zumos, señor pastor. Los caramelos son de mi cuenta. Papá afloja la bolsa y pone dos monedas de veinticinco céntimos en el mostrador.

—Ahora nos va a venir de perlas un baño —dice papá tomando el desvío hacia Svartsjön.

Es un sendero estrecho y lleno de curvas que va por un soto en el que unas vacas dormitan asediadas por moscas y tábanos. El sendero desciende entre frondosos árboles y termina en una estrecha franja de playa arenosa. El lago Svartsjön es redondo como una circunferencia y hace honor a su nombre: las aguas son negras. De su fondo se desprende un olor ácido a helechos y juncos en putrefacción.

Papá y Pu se desnudan y papá se tira de espaldas en el agua helada, resopla y hace girar los brazos, luego se vuelve y nada a grandes brazadas. Pu anda con más prudencia: nunca se sabe, con un lago como el Svartsjön, seguro que allá abajo, a miles de metros bajo la superficie, hay monstruos sin ojos, endriagos viscosos, sierpes venenosas de afilados colmillos. Y además, todos los esqueletos de animales y personas que se han ahogado a lo largo de miles de años. Pu da unas brazadas, las claras aguas ligeramente teñidas de color tierra se cierran en torno a él. Se deja hundir bajo la superficie, no ve el fondo, solo las tinieblas allá abajo, tampoco ve plantas acuáticas ni percas ni albures, nada.

Se sientan en la playa a secarse. La sombra de los abedules y los alisos apenas refresca y les rodea una nube de insectos voladores. Los hombros de papá son rectos, caja torácica alta, piernas largas y fuertes y un sexo grande casi sin vello. Los brazos son musculosos con muchas manchas en la piel blanca. Pu está sentado entre las rodillas de papá igual que Jesús cuelga en la cruz entre las rodillas de Dios en el viejo tabernáculo. Papá ha encontrado un manojo de largas flores amarillas con manchas rojas. Deshoja cuidadosamente uno de los cálices.

—Esta flor se llama «cetro del rey Karl», *pedicularis sceptrum-carolinum*, y es muy rara aquí, tan al sur. Me parece que voy a llevarme algunas para ponerlas en mi herbario. No, no va a poder ser. No quiero meterlas en la maleta porque pueden manchar la ropa.

Papá extrae un pequeño guisante del interior de la flor. Se lo mete en la boca y mastica pensativo.

—Si uno come la semilla del cetro, se le sube a la cabeza y empieza a hablar, sin más, lenguas extranjeras, aunque no deben de ser más que cuentos.

Papá deja a un lado cuidadosamente la planta examinada.

El día se oscurece, el agua se pone más negra, una nube de un gris polvoriento se extiende de súbito sobre la vaguada. Unas avispas emprenden rápidos ataques contra la botella de zumo y un bocadillo sobrante. Enseguida se ven incontables anillos en la brillante superficie del agua que desaparecen casi instantáneamente. El viento se ha calmado.

—Se nos echa la tormenta encima —dice papá, encantado—. Será mejor que nos vayamos.

Cuando papá y Pu salen por fin de la fronda a la llanura de extensos sembrados ven los rayos verticales dentro de la pared nubosa sobre las colinas, el fragor se acerca pero aún está lejos. Grandes gotas caen en el polvo del camino formando arterias y dibujos. Papá parece despreocupado. Silba alguna vieja canción y le da a los pedales. Van deprisa.

—Así deberíamos dar la vuelta al mundo, papá y yo —dice Pu.

Papá se echa a reír, se quita el sombrero y se lo da a Pu para que lo lleve. Pu y papá están de buen humor. Luchan contra el mundo, no temen a la tormenta.

—Yo también soy un niño de domingo —dice papá de pronto.

En la cuesta arriba, junto al pueblo abandonado, empieza la borrasca de granizo. En unos minutos se desencadena el viento, los relámpagos corren por la negrura, los truenos producen un ruido ensordecedor. Los fuertes chaparrones se transforman en grandes terrones de hielo. Papá y Pu van corriendo al corral más cercano. Es una cochera medio en ruinas, con unos cuantos carros abandonados y un carruaje con las varas levantadas. El techo está agujereado y la lluvia entra a torrentes. Debajo de lo que en otros tiempos fue un pesebre encuentran protección y abrigo.

Se sientan en una viga caída y miran por el abierto hueco de la ventana. En el declive hay un majestuoso abedul. Le caen dos rayos, un denso humo sube del tronco, el pesado follaje se agita y se retuerce como atormentado, los estampidos de la tormenta sacuden la tierra y obligan a Pu a taparse los oídos. Está pegado a las rodillas de papá. El pantalón de papá huele a humedad, tiene el pelo y la cara húmedos. Se seca con la manga.

—¿Tienes miedo? —pregunta papá.

—Imagínate si fuera el juicio final —dice Pu de repente volviendo su pálida cara hacia él.

—¿Y qué sabes *tú* del juicio final? —Papá se ríe.

—Que los ángeles tocarán las trompetas y una estrella que se llama Ajenjo se caerá al mar y lo transformará en sangre.

—Pues si es el juicio final, es bueno que estemos juntos, ¿no es verdad, Pu?

—Me parece que tengo que orinar —dice Pu.

Se levanta tiritando y va detrás de un tabique. Ve a su padre de espaldas. Papá ha sacado la pipa, la rellena y la enciende.

Las ráfagas de viento que antes eran cálidas se vuelven frías y violentas de pronto. Cuando Pu vuelve papá se quita la chaqueta y envuelve en ella a su hijo.

Una última mirada retrospectiva en el futuro.

Fecha: el 22 de marzo de 1970. Papá se está muriendo. Pasa ratos sin conocimiento y breves momentos de lucidez. Estoy junto a los pics dc su cama y Syster Edit sc inclina sobre él. Hay una lamparilla encendida, cubierta con un chal ligero. Una bandeja con agua mineral y un vaso con una pajita. La cara de papá está muy demacrada, es la cara de la Muerte.

—El doctor dice que está inconsciente, pero no es verdad. Yo lo tomo de la mano y hablo con él y entonces noto que me la aprieta un poco. Oye y entiende lo que le digo.

Papá abre los ojos y mira a Edit, la reconoce y mueve un poco la cabeza, ella le da agua a beber. Está aquí tu hijo, le dice en voz baja y penetrante.

Yo me acerco a la cabecera y papá vuelve la cabeza. La cara está en sombra, pero veo su mirada, que es notablemente clara. Levanta la mano con un gran esfuerzo y busca a tientas la mía. Al cabo de unos segundos de silencio empieza a hablar, al principio solo mueve los labios, poco a poco va recuperando la voz, no entiendo lo que dice. Habla a golpes y tartamudeando, su clara mirada me mira fijamente.

—¿Qué dice? —le pregunto a Syster Edit—. No lo entiendo.

Syster Edit se ha sentado en el borde de la cama, se inclina hacia delante para captar las palabras, parece comprender y mueve la cabeza confirmando.

—¿Qué dice? —susurro.

—Tu padre te bendice. ¿No oyes?… Dé la paz… En nombre del Espíritu Santo…

Esto lo sufro rápida e inesperadamente y no puedo defenderme. Papá ha cerrado los ojos, parece extenuado por el esfuerzo, cae de nuevo en su letargo. Me libero de su mano y voy al comedor. La habitación está en penumbra y así me recuerda el comedor de mi infancia, con las tres ventanas y las pesadas cortinas verdes, la mesa barnizada de oscuro, el viejo y panzudo aparador con sus utensilios de un brillo apagado, los cuadros oscuros con marcos dorados, las incómodas sillas de respaldo alto.

Estoy junto al lateral corto de la mesa, con los ojos secos y angustiado. Syster Edit abre la puerta:

—¿Molesto?

—No, no. ¡No enciendas! Está bien así.

Syster Edit va hacia la ventana y mira la calle silenciosa y nevada, cruza los brazos sobre el pecho, su cara es serena. Se vuelve hacia mí:

—¿Por qué estás tan angustiado?

—¿Angustiado? No siento nada. Un poco de compasión, un poco de ternura, un poco de terror ante la muerte, nada más. ¡Al fin y al cabo, es mi padre!

—Seguramente es difícil sentir algo en una ocasión como esta. Le puede ocurrir a cualquiera.

—No es eso lo que quiero decir. Lo miro y pienso que debería olvidar, pero no olvido. Debería perdonar, pero no perdono nada. Podría sentir al menos algo de cariño, pero no soy capaz de sentir ningún cariño. Es *un extraño*. No voy a echarlo nunca de menos. A mi madre sí la echo de menos. La echo de menos cada día. A mi padre lo he olvidado ya, no me refiero al hombre que está ahí dentro muriéndose, a ese ni siquiera lo conozco, sino al hombre que ha interpretado un papel en mi vida, está olvidado y lejos. Bueno, eso no es verdad. *Quisiera* poder olvidarlo.

—Tengo que volver. ¿Vienes conmigo?

—No.

—Adiós, entonces, y cuídate.

—Quisiera no sentir lo que siento.

—No puedes mandar en tus sentimientos.

—No te…

—… enfades. Tienes que entender que Erik es mi amigo más querido, ya desde la infancia. Para mí es una persona completamente distinta de la que es para ti. Yo no conozco a la persona de la que tú hablas.

Edit mueve la cabeza y sonríe levemente. Yo me quedo junto a la mesa oscura y brillante. Oigo la voz de Edit a través de la puerta cerrada.

Hay motivos para añadir una noticia que apenas tiene que ver con esta historia, puesto que la escena arriba descrita se desarrolló hace más de veinte años. Mi relación con mi padre fue transformándose casi sin que me diera cuenta. Pensaba con una emoción insoportable en su mirada cuando se abrió paso desde el reino del ocaso para invocar la bendición de Dios sobre su hijo. Empecé a investigar en la vida anterior de mis padres, en la infancia de papá, fui descubriendo una repetida muestra de esfuerzo patético y humillante fracaso. Descubrí también solicitud, ternura y una profunda confusión. Un día llegué a ver su sonrisa y la mirada azul, tan amistosa y confiada. Vi a papá envejeciendo, inválido, en la solitaria viudez que eligió:

Haz el favor de no compadecerte de mí, haz el favor de no perder el tiempo, seguro que tienes tareas más importantes. Haz el favor de dejarme en paz. Estoy estupendamente en todos los aspectos. Gracias, muy amable, pero prefiero abstenerme, no es agradable verme en la mesa con estas manos temblorosas.

Se niega amablemente, con su aspecto cuidado, bien afeitado, pulcro, la cabeza le tiembla un poco y me mira sin pedir nada y sin compadecerse a sí mismo. Le tiendo la mano y le pido perdón, *ahora,* hoy, en este instante.

Papá se quita la chaqueta y envuelve a Pu. Siente el calor corporal de papá, casi como una envoltura de calor húmedo. Pu ya no tiene frío.

—¿A que ya no tienes frío?

—No. Hace calor.

El paisaje se borra tras una cortina de lluvia. Ha amainado la tormenta de granizo, pero quedan pelotas de hielo en el suelo. Fuera del cobertizo se forma un lago que empieza a extenderse por debajo de la base de piedra. Pronto están rodeados de agua. La luz es gris y plana como en un crepúsculo sin puesta de sol. El fragor de la tormenta se aleja y adquiere un tono más sordo, igual de persistente pero más aterrador. La lluvia se transforma de río torrencial en copioso aguacero.

Papá y Pu se marchan. El camino está lleno de impetuosos regueros y es difícil avanzar por él en bicicleta.

De repente, la rueda de delante vacila. Pu encoge las piernas y rueda por una ladera de hierba.

Papá se queda tirado en el camino. Cuando Pu se levanta apresurado, papá está inmóvil con una pierna debajo de la bici y la cabeza doblada hacia delante. Pu cree que papá está muerto.

Un minuto más tarde papá vuelve la cabeza y pregunta si Pu se ha hecho daño. El niño, que se ha mojado un poco porque ha caído en un charco, agita como un payaso las largas mangas de la chaqueta. Papá se ríe con su risa alegre y cordial, se desprende de la bicicleta y se pone en pie: se ha pinchado la rueda de atrás. Vuelve a reírse y sacude la cabeza, ahora vamos a tener que ir trotando, querido Pu.

Hay media legua hasta la estación. Papá y Pu están empapados, sucios y llenos de barro. Papá tiene un rasguño en la mejilla. Cae sin parar una lluvia fría. Papá empuja la bicicleta averiada y Pu lo ayuda.

Fårö, 1 de agosto de 1990

Se terminó de imprimir un 27 de noviembre de 2021 en Basauri, Vizcaya.

La principal

FULGENCIO PIMENTEL

Títulos publicados:

1. ELVIRA LINDO — *Tinto de verano*
2. SERGUÉI DOVLÁTOV — *Retiro*
3. SABINA URRACA — *Las niñas prodigio*
4. EDUARDO HALFON — *Clases de chapín*
5. RUBÉN LARDÍN — *La hora atómica*
6. PHILIPPE DJIAN — *«Oh…»*
7. SERGUÉI DOVLÁTOV — *Oficio*
8. WILLIAM CARLOS WILLIAMS — *Los relatos de médicos*
9. ANDRÉI PLATÓNOV — *Dzhan*
10. CHICHO S. FERLOSIO *et al.* — *El cantar tiene sentido*
11. ION NEGOIȚESCU — *Cuartel de los dragones*
12. JAIME DE ARMIÑÁN — *Juncal*
13. GUEORGUI GOSPODÍNOV — *Física de la tristeza*
14. SERGUÉI DOVLÁTOV — *La maleta*
15. MARÍA BASTARÓS — *Hª de E. contada a las niñas*
16. MICHAEL CAINE — *La gran vida*
17. UNDINĖ RADZEVIČIŪTĖ — *Peces y dragones*
18. SERGUÉI DOVLÁTOV — *Los nuestros*
19. EDUARD LIMÓNOV — *El libro de las aguas*
20. GUSTAVO BUENO — *Conversaciones*
21. GUEORGUI GOSPODÍNOV — *Novela natural*
22. PHILIPPE DJIAN — *Los incidentes*
23. EDUARD LIMÓNOV — *El hombre sin amor*
24. ROQUE LARRAQUY — *La telepatía nacional*
25. INGMAR BERGMAN — *La buena voluntad*
26. ANDRÉ LORANT — *El loro de Budapest*
27. SERGUÉI DOVLÁTOV — *Filial*
28. INGMAR BERGMAN — *Niños de domingo*

Título original: *Söndagsbarn*, publicado en 1993 por Norstedts Förlag
Publicado en acuerdo con Hedlund Agency y Casanovas & Lynch
Literary Agency

www.fulgenciopimentel.com

Primera edición: noviembre de 2021
Editor: César Sánchez
Editores adjuntos: Joana Carro y Alberto Gª Marcos
Retoque digital: Daniel Tudelilla
Comunicación: Isabel Bellido
prensa@fulgenciopimentel.com

ISBN: 978-84-17617-65-3
Depósito legal: LG G 00730-2021

Esta obra ha recibido una ayuda a la edición del Ministerio
de Cultura y Deporte.
Los editores expresan su agradecimiento al Swedish Arts Council,
que sufragó parcialmente el coste de la traducción.

Impreso en España